novas buscas em psicoterapia

VOL. 32

Dados Internacionais de Catalogação na Publicação (CIP)
(Câmara Brasileira do Livro, SP, Brasil)

Bandler, Richard.

Usando sua mente: as coisas que você não sabe que não sabe : programação neurolinguística/ Richard Bandler; [tradução de Heloisa de Melo Martins Costa]. – 10 ed. – São Paulo: Summus, 1987.

Vários autores
Bibliografia
ISBN 978-85-323-0309-7

1. Programação I. Título.

87-2538   CDD-158.1

Índices para catálogo sistemático:
1. Neurolinguística : Programação aplicada   158.1
2. Programação neurolinguísta : Psicologia aplicada   158.1

Compre em lugar de fotocopiar.
Cada real que você dá por um livro recompensa seus autores
e os convida a produzir mais sobre o tema;
incentiva seus editores a encomendar, traduzir e publicar
outras obras sobreo assunto;
e paga aos livreiros por estocar e levar até você livros
para a sua informação e o se entretenimento.
Cada real que você dá pela fotocópia não autorizada de um livro
financia um crime
e ajuda a matar a produção intelectual de seu país.

Usando sua mente

As coisas que você não sabe que não sabe
Programação neurolingüística

Richard Bandler

summus
editorial

Do original em língua inglesa
USING YOUR BRAIN - for a change
Copyright © 1985 by Richard Bandler
Direitos desta tradução adquiridos por Summus Editorial

Tradução: **Heloisa de Melo M. Costa**
Revisão técnica: **Gilberto C. Cury**
Capa: **Léa W. Storch**

Summus Editorial
Departamento editorial
Rua Itapicuru, 613, 7º andar
05006-000 – São Paulo – SP
Fone: (11) 3872-3322
http://www.summus.com.br
e-mail: summus@summus.com.br

Atendimento ao consumidor
Summus Editorial
Fone: (11) 3865-9890

Vendas por atacado
Fone: (11) 3873-8638
e-mail: vendas@summus.com.br

Impresso no Brasil

NOVAS BUSCAS EM PSICOTERAPIA

Esta coleção tem como intuito colocar ao alcance do público interessado as novas formas de psicoterapia que vêm se desenvolvendo mais recentemente em outros continentes.

Tais desenvolvimentos têm suas origens, por um lado, na grande fertilidade que caracteriza o trabalho no campo da psicoterapia nas últimas décadas, e, por outro, na ampliação das solicitações a que está sujeito o psicólogo, por parte dos clientes que o procuram.

É cada vez maior o número de pessoas interessadas em ampliar suas possibilidades de experiência, em desenvolver novos sentidos para suas vidas, em aumentar sua capacidade de contato consigo mesmas, com os outros e com os acontecimentos.

Estas novas solicitações, ao lado das frustrações impostas pelas limitações do trabalho clínico tradicional, inspiram a busca de novas formas de atuar junto ao cliente.

Embora seja dedicada às novas gerações de psicólogos e psiquiatras em formação, e represente enriquecimento e atualização para os profissionais filiados a outras orientações em psicoterapia, esta coleção vem suprir o interesse crescente do público em geral pelas contribuições que este ramo da Psicologia tem a oferecer à vida do homem atual.

*Dedicado à
minha mãe*

ÍNDICE

Apresentação da Edição Brasileira 11

Introdução 13

I. *Quem Está ao Volante* 19
A maioria das pessoas deixa o cérebro desgovernado e têm muitas experiências que desejariam não ter. Bandler comenta com bom humor as muitas maneiras que as pessoas usam para tentar pensar sobre os seus problemas cotidianos e resolvê-los, enquanto propõe novas alternativas.

II. *Comandando o Seu Próprio Cérebro* 33
Dependendo do tamanho, luminosidade, distância etc. das nossas imagens internas, reagimos de maneira bastante diferente aos mesmos pensamentos. À medida que compreendemos esses princípios simples podemos mudar as nossas experiências para reagir da maneira que achamos mais adequada. A maneira como é feita a "Terapia Super-Rápida" é demonstrada.

III. *Pontos de Vista* 49
A experiência de lembrarmos de algo do nosso próprio ponto de vista (através de nossos próprios olhos) é bastante diferente do que quando nos vemos naquela lembrança, a partir de outro ponto de vista. Quando aprendemos a usar esta diferença podemos curar uma fobia ou uma "síndrome de estresse pós-traumático" em poucos minutos, entre outras coisas.

IV. *Desacertos* 63
Muitas vezes tentamos corrigir os nossos erros depois de tê-los cometido, em vez de fazer o que é correto, *a priori*, para nos certificarmos de que tudo vai-se passar da maneira como desejamos. Às vezes, até, a "emenda é pior do que o soneto".

V. Metas..............81
Todos nós nos motivamos a fazer coisas, de maneira repetida, no nosso cotidiano. Se conhecermos este processo de motivação, torna-se possível escolhermos o que estamos motivados a fazer, usando sensações positivas poderosas para atingirmos as nossas metas. Uma maneira de transformar vozes internas críticas em aliados amistosos e úteis também é demonstrada.

VI. Entendendo Confusão..............95
As maneiras como organizamos a nossa experiência para atingirmos a compreensão são ímpares e podem ser direcionadas e modificadas. Podemos aprender imensamente ao experimentarmos o modo de compreensão de outra pessoa.

VII. Para Além das Nossas Convicções..............115
Nosso cérebro codifica as nossas experiências internas para poder saber o que acreditamos e o que não acreditamos. Através do acesso direto e da modificação desse código interno, é possível mudar de maneira rápida as nossas convicções limitadoras sobre nós mesmos, transformando-as em convicções com mais recursos e mais poderosas.

VIII.
Aprendizagem..............129
O sistema educacional vigente tenta ensinar o conteúdo em vez de ensinar aos alunos *a maneira como* aprender. As chamadas "fobias escolares" que impedem a aprendizagem podem ser curadas rapidamente. Também são analisadas a memória e as "deficiências de aprendizado".

IX. Swish..............143
Ao compreendermos a maneira como o nosso cérebro faz a ligação entre diversas experiências é possível transformar qualquer situação problemática em pistas para que possamos nos tornar pessoas que desejamos ser. Este método fornece soluções geradoras para praticamente qualquer comportamento problemático ou reação desagradável. A demonstração é feita com o hábito de fumar e outros.

Conclusão..............165

Apêndices..............171-178

Bibliografia..............179

APRESENTAÇÃO DA EDIÇÃO BRASILEIRA

Em minha opinião, poderíamos pensar em nossos conhecimentos como que divididos em três áreas: a primeira seria a área das coisas que você sabe que sabe, a segunda, a das coisas que você sabe que não sabe e, por fim, a área das coisas que você não sabe que não sabe. A solução de alguns dos nossos importantes problemas está justamente na área das coisas que nós não sabemos que não sabemos. A Programação Neurolingüística também pode ser considerada como pertencente a essa área.

A Summus Editorial, em sua "Coleção Novas Buscas em Psicoterapia" já publicou vários livros sobre essa nova ciência que está revolucionando a comunicação humana.

Este livro, além de retomar alguns dos conceitos apresentados em outras obras mostra os padrões de submodalidades muito ágeis e poderosos em provocar mudanças. Com eles podemos modificar sensações relativas a experiências. Podemos lidar diretamente com a representação de nossas experiências em nosso subconsciente. Convidamos você a experimentar o que é apresentado aqui. E não se surpreenda muito com as mudanças que você vai conseguir.

Gilberto Craidy Cury
Presidente da Sociedade Brasileira de PNL

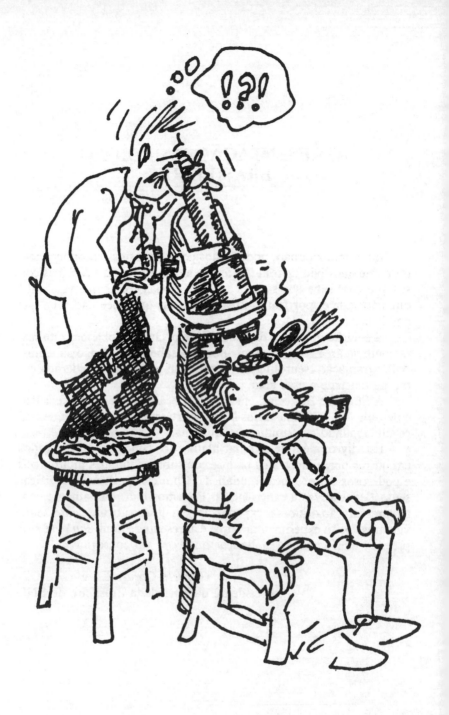

INTRODUÇÃO

Quantas vezes você já ouviu estas frases: "Ela tem um futuro brilhante" ou "O passado dele sempre foi muito movimentado"?. Essas expressões são mais do que metáforas. Trata-se de descrições específicas da maneira de pensar interna da pessoa que fala e são o segredo para podermos efetuar mudanças úteis na nossa própria experiência. Imagine, por exemplo, uma situação agradável no futuro... aumente a luminosidade da imagem e observe como muda a sua sensação. Ao aumentar a luminosidade, o seu "desejo" de que a situação imaginada venha a se concretizar aumenta também? A maioria das pessoas reage de forma mais forte a uma imagem mais luminosa; algumas, porém, reagem melhor a uma imagem mais difusa.

Refaça a experiência com uma lembrança do seu passado e torne as cores mais fortes e intensas... Em que sentido mudou a sua reação, ao tornar a sua lembrança mais colorida? Caso não note nenhuma diferença, faça-a ficar em branco e preto. O que acontece, em geral, é que a reação fica mais leve.

Outra expressão comum é: "Dê mais cor à sua vida".

Pense em outra experiência pessoal e jogue, literalmente, focos brilhantes de luz e observe a diferença. (Os anunciantes de televisão e os estilistas de roupas de lantejoulas sabem muito bem disto!)

Um conselho dado com freqüência a respeito de eventos desagradáveis é "jogue o seu passado fora". Pense em algo que ainda o faça sentir-se mal e repare a *localização* e a distância da imagem. Provavelmente, ela está de frente e próxima a você. Leve-a para mais longe. De que forma a sua lembrança é mudada?

Acabamos de dar alguns exemplos da simplicidade e da força dos novos padrões das "submodalidades" da PNL, desenvolvidos por Richard Bandler nos últimos anos. Um dos padrões iniciais da

PNL refere-se à ideia de "Modalidades" e "Sistemas Representacionais". Qualquer experiência nossa é revista através de representações do Sistema Sensorial — imagens visuais, sons auditivos e sensações cinestésicas. Nos últimos 10 anos grande parte do treinamento de PNL destinava-se a demonstrar maneiras práticas e rápidas de utilizar a noção de modalidades para transformar sensações e comportamentos. As submodalidades são os elementos menores de cada modalidade. Por exemplo, algumas das submodalidade visuais são luminosidade, cor, tamanho, distância, localização e nitidez. A idéia de submodalidade revela um novo campo de padrões de mudança que são ainda mais rápidos, mais fáceis e específicos.

Decidimos deixar de lado grande parte do que estávamos fazendo, ao termos contato pela primeira vez com a PNL no final de 1977, para nos dedicarmos ao estudo dessas novas maneiras, estimulantes e rápidas, de mudança de comportamento. Naquela época, Richard Bandler e John Grinder trabalhavam juntos no desenvolvimento deste novo campo promissor. A PNL mostrava como seguir o processo interno de alguém através de seus movimentos oculares, como eliminar reações a sentimentos desagradáveis em questão de minutos, e muito mais.

Passaram-se sete anos e todas estas promessas, e *muitas* mais, foram cumpridas. Todas as técnicas e idéias básicas da PNL passaram no teste do tempo e também na difícil prova de passar adiante o ensinamento prático dessas técnicas. A PNL tem sido considerada o que há de mais aprimorado em questão de comunicação e mudança.

A PNL oferece uma compreensão conceitual baseada de maneira concreta na ciência da informação e da computação, fundamentada basicamente no estudo da experiência humana. Tudo o que é dito em PNL pode ser verificado diretamente na sua própria experiência ou na de outras pessoas.

Os novos padrões de submodalidades, descritos e ensinados neste livro, são formas de produção de mudanças pessoais ainda mais ágeis e poderosas do que os antigos métodos de PNL. Existem apenas três modalidades principais, porém existem *inúmeras* submodalidades dentro de cada modalidade. As submodalidades são a maneira como o cérebro humano classifica e codifica a experiência. Os padrões de mudança de submodalidades podem ser usados para mudar diretamente o suporte lógico de alguém — a nossa maneira de pensar sobre nossas experiências e como reagimos a ela.

Alguns críticos objetavam a maneira "fria" e deveras "técnica", segundo eles, da PNL. Argumentavam que, apesar de funcionar bem com hábitos simples e fobias, não tratava dos "problemas existenciais profundos". Estamos curiosos em saber o que esses críticos diriam a respeito das mudanças de percepção e crenças, demonstradas nos capítulos 6 e 7.

Este livro abre-nos as portas de novas formas práticas de compreender a maneira como funciona a nossa mente. E, o que é mais importante, ele nos ensina princípios simples para que possamos "dirigir o nosso cérebro". Como mudar as suas experiências se não estiverem satisfeitos com elas e como aumentar a sua satisfação quando tudo está funcionando bem.

A maioria das pessoas tem a capacidade de fazer pequenas adaptações em princípios já conhecidos e fazer, de vez em quando, pequenas inovações. A genialidade de Richard Bandler reside em sua inigualável habilidade em criar, repetidamente, *novos* princípios e tornar-los acessíveis. O seu senso de humor talvez pareça mordaz e arrogante, principalmente quando dirigido a psicólogos e psiquiatras (outros "especialistas" também recebem o seu quinhão!). Isto é compreensível quando se sabe que, apesar da cura de fobia e trauma de PNL ter sido publicada pela primeira vez há mais de seis anos, a maioria dos psicólogos continua a acreditar que são necessários mesmo meses e anos de conversas e medicamentos (e muito dinheiro) para se curar uma fobia. Nós sabemos o quanto é frustrante ouvir "Isto é impossível", quando já demonstramos centenas de vezes e ensinamos outras pessoas a fazê-lo de forma durável.

Quando algo de novo aparece em qualquer ramo industrial, empresários do mundo inteiro querem usá-lo imediatamente, porque sabem que, se não o fizerem, os seus concorrentes o farão. Infelizmente, ainda existe muita inércia no campo da psicologia, onde os profissionais ganham *mais* se levarem mais tempo para resolverem um problema. Do momento que a incompetência é recompensada, os métodos modernos e benéficos levam muito mais tempo para serem assimilados.

Muitas outras pessoas já lastimaram a inércia no campo da psicologia. Salvador Minuchin, conhecido inovador no campo da terapia, disse recentemente:

"De que forma as pessoas reagem às nossas descobertas (no campo da pesquisa)? Defendendo os seus próprios paradigmas. Como resposta a nossos conhecimentos, existe sempre a preocupação em continuar a fazer aquilo que foi aprendido".

Apesar desta inércia, existem muitas exceções no campo da psicologia e da psiquiatria — profissionais ávidos por aprender novos métodos que tornem o seu trabalho mais rápido, melhor e mais bem acabado, beneficiando assim os seus clientes. Esperamos que este livro venha a cair em boas mãos.

Há alguns anos percebemos os novos caminhos que estavam sendo explorados pelo talento de Richard Bandler, e sentimos como esses novos padrões poderiam tornar-se mais úteis se fossem mais conhecidos. Porém, o que nos levou a editar este livro foi o nosso fascínio e profundo interesse em relação às submodalidades.

O nosso material compunha-se de fitas de vídeo e transcrições de inúmeros seminários e *workshops* organizados recentemente por Richard Bandler. Em seguida, classificamos e organizamos o imenso material de que dispúnhamos, fazendo pessoalmente cada uma das experiências e ensinando a outras pessoas, para aprofundar mais os nossos conhecimentos. E então, com base no que aprendemos, reunimos o material em forma de livro. Tentamos por um lado manter o estilo dinâmico dos seminários e por outro reorganizar e colocar em ordem o material para facilitar a compreensão do leitor.

A maioria dos livros, quando publicados, tratam de temas já defasados há cinco anos e mesmo dez anos. O objeto deste livro tem cerca de três anos. Existem muitos novos padrões de submodalidades que estão sendo ensinados nos seminários de PNL e Richard continua a desenvolver outros padrões.

Um dos princípios básicos da PNL é que a ordem ou seqüência das experiências, assim como as palavras que compõem a frase, afeta o seu sentido. A seqüência dos capítulos deste livro foi estabelecida de maneira cuidadosa. Aconselhamos que sejam lidos em ordem, já que a maior parte do que será descrito nos capítulos subseqüentes pressupõe um conhecimento dos capítulos anteriores.

Outro princípio básico da PNL é que as palavras são etiquetas inadequadas das experiências. Uma coisa é ler sobre como pregar um prego. Outra é sentir o martelo em suas mãos e ouvir o ruído característico do prego penetrando na parte lisa da madeira. Outra ainda é sentir a vibração e o movimento do martelo e ver o prego entortar quando existe um nó na madeira.

Os padrões ensinados neste livro são ferramentas. Devem, portanto, ser usadas para que se possa compreender a maneira como funcionam e há que se ter prática para usá-las bem. É possível passar uma vista d'olhos para se ter uma idéia do que trata o livro. No entanto, se o que se deseja é usar as informações aqui contidas, use-as em seu próprio proveito e no de outros, senão o seu conhecimento será simplesmente "teórico".

Connirae Andreas
Steve Andreas
Abril de 1985

I

QUEM ESTÁ AO VOLANTE?

A Programação Neurolingüística foi assim por mim designada por não querer me tornar um especialista em um assunto específico. Na faculdade sempre fui dos que não conseguiam formar uma opinião e decidi continuar assim. A PNL simboliza, entre outras coisas, uma maneira de se examinar o aprendizado humano. Mesmo que muitos psicólogos e assistentes sociais usem a PNL para fazer o que chamam de "terapia", acho mais apropriado descrevê-la como sendo um processo educacional. Estamos, essencialmente, desenvolvendo formas de ensinar às pessoas a usarem o seu cérebro. A maioria das pessoas não usa o seu cérebro de maneira ativa e refletida. O cérebro é uma máquina que não pode ser desligada. Se você não lhe der algo para fazer, ele continuará a funcionar até cansar. Se alguém for colocado em um desses recipientes de privação sensorial o seu cérebro começará a gerar experiências internas. Se o seu cérebro não tiver o que fazer, ele vai começar a fazer *alguma* coisa, sem se importar com o que seja. *Você* talvez se importe, mas *ele* não.

Por exemplo, você já se pegou pensando na vida, ou então profundamente adormecido, quando de repente o seu cérebro lança-lhe uma idéia que quase o mata de susto? Quantas vezes alguém já acordou no meio da noite por ter tido uma sensação de êxtase profundo? Se o seu dia foi ruim, mais tarde o seu cérebro irá repassar imagens vívidas dos acontecimentos, de forma incessante. Não terá sido suficiente a má experiência que sofreu durante o dia, é provável que a sua noite vá ficar prejudicada e talvez até parte da sua semana também.

A maioria das pessoas não pára, no entanto, por aí. Quantos de vocês ficam remoendo fatos desagradáveis que já aconteceram há muito tempo? É como se o seu cérebro dissesse: "Vamos reviver este fato! Temos uma hora livre antes do almoço, vamos pensar em algo realmente deprimente. Talvez possamos ficar chateados com isso durante os próximos três anos". Já ouviram falar em "casos mal resolvidos"? Com certeza, já foram resolvidos, mas acontece que a pessoa simplesmente não gostou da maneira como terminou.

Quero que vocês aprendam a mudar a sua própria experiência e a controlar o que acontece com o seu cérebro. Muitas pessoas são prisioneiras dos seus próprios cérebros. É como se elas estivessem acorrentadas no último banco e deixassem outra pessoa dirigir seu próprio ônibus no lugar delas. Se você não indicar o caminho que quer que o seu cérebro faça, ou bem ele irá fazer o caminho da melhor maneira que puder ou bem outra pessoa indicará o caminho para você — e nem sempre com a melhor das intenções. E mesmo que as tenham, podem errar!

A PNL oferece a oportunidade de se estudar algo na escola que sempre me disseram que era horrível — a subjetividade. Aprendi que a verdadeira ciência estuda os fatos de maneira objetiva. Notei, contudo, que eu parecia ser mais influenciado pelas minhas experiências subjetivas e queria conhecer um pouco mais a respeito desse mecanismo e como as pessoas eram afetadas por elas. Durante este seminário, vou mostrar a vocês alguns jogos mentais com os quais gosto de me divertir, porque o cérebro é o meu brinquedo favorito.

Quantos aqui gostariam de ter uma "memória fotográfica"? E quantos lembram-se nitidamente, e sem cessar, de velhos fatos passados? Com certeza, isto acrescenta uma pitada de sal à vida. Quando alguém vai ao cinema e assiste a um terrível filme, ao voltar para casa, o simples fato de se sentar numa poltrona faz com que a pessoa tenha a sensação de estar de volta à sala de projeção. Quantos aqui já tiveram esta experiência? E ainda dizem que não têm uma memória fotográfica! Já têm uma, só que não a estão usando da maneira que desejam. Se a sua memória é fotográfica em relação a fatos desagradáveis do passado, por que não usá-la deliberadamente em experiências mais úteis?

Quantos aqui já ficaram pensando em algo que não havia acontecido ainda e se sentiram mal antes do tempo? Por que esperar? Você já pode começar a se sentir mal agora, não é mesmo? E no final das contas, talvez não aconteça nada, mas você não perdeu tempo, não é verdade?

Esta capacidade pode também funcionar no sentido inverso. Existem pessoas que antes de tirarem férias já as estão desfrutando, e quando chega a hora, ficam desapontadas. É preciso planejar bem para se ficar desapontado. Vocês já pararam para pensar no trabalho que dá o desapontamento? O planejamento deve ser muito cuidadoso. Quanto mais planejamento, mais desapontamento. Algumas pessoas vão ao cinema e depois dizem: "Não era tão bom quanto eu esperava". Isto me faz pensar, se eles já tinham um filme tão bom dentro da cabeça, por que foram ao cinema? Por que se sentar numa cadeira desconfortável em uma sala suja de cinema, e depois dizer: "Posso criar um filme melhor na minha cabeça, sem mesmo ter lido o roteiro".

Este é o tipo de coisa que acontece se você não controlar o seu cérebro. Muita gente passa mais tempo aprendendo a usar um aparelho eletrodoméstico do que a usar o seu cérebro. Não se dá muita ênfase ao uso diferente e proposital do cérebro. Supõe-se que a pessoa deva "ser ela mesma" — como se a pessoa tivesse escolha. Creiame, não há saída. Pode até ser que você consiga apagar todas as suas lembranças com choques elétricos, e transformar-se em outra pessoa, mas os resultados que tenho visto não são muito animadores. Até que se invente um aparelho que apague o cérebro, acho que você tem de lidar com o que tem. E isto não é nada mau, pois assim você poderá aprender a usar o seu cérebro de forma mais funcional. E é disto que trata a PNL.

Quando comecei a ensinar PNL, algumas pessoas acharam que a PNL permitiria programar a mente de outras pessoas e assim elas seriam facilmente controláveis, tornando-se menos humanas. Elas tinham impressão de que mudar de propósito alguém iria, de certa forma, reduzir as suas características humanas. Muita gente se importa em mudar propositalmente, usando antibióticos e produtos de beleza, mas mudar o comportamento parece ser diferente. Nunca entendi por que o fato de mudar alguém, tornando-o mais feliz, iria fazê-lo ficar menos humano. Mas *tenho* observado como algumas pessoas conseguem fazer os seus cônjuges e filhos — e até mesmo pessoas desconhecidas — sentirem-se mal, pelo simples fato de "serem elas mesmas". Às vezes pergunto: "Por que ser *você mesmo*, se pode ser alguém que valha mais a pena?". Quero apresentar-lhes algumas das inúmeras possibilidades de aprendizagem e mudança que se encontram à sua disposição ao começarem a usar o seu cérebro premeditadamente.

Houve uma época em que fizeram filmes sobre como os computadores iriam controlar o mundo. Começou-se a pensar nos computadores não como instrumentos a serem usados e sim como coisas que iriam substituir os seres humanos. Mas se vocês já viram computadores de uso doméstico, devem ter reparado que eles dispõem de programas até para verificação de talão de cheques! Usar o computador para verificar o talão de cheques toma seis vezes mais tempo do que a maneira habitual. Tem-se de anotar os gastos primeiro no talão e depois passar as anotações para o computador. Isto transforma computadores em simples objetos de decoração. Quando ainda é um brinquedo novo, brinca-se com ele e um tempo depois guarda-se dentro do armário. Quando recebemos amigos que não vemos há muito tempo, tira-se o brinquedo do armário para mostrar aos amigos os jogos que já deixaram de ser interessantes. O objetivo do computador é outro. Mas a maneira banal como as pessoas usam o computador equipara-se à maneira banal como elas usam o próprio cérebro.

Sempre escuto dizer que deixamos de aprender aos cinco anos de idade, mas não tenho provas de que isto seja verdade. Pare e reflita sobre isto. Desde os seus cinco anos de idade até agora, quantas coisas fúteis você aprendeu, sem falar nas úteis? Os seres humanos têm uma incrível capacidade de aprender. Estou convencido, e vou convencê-lo — de uma maneira ou de outra — de que você ainda é uma máquina de aprender novas coisas. O lado positivo desta estória é que você é capaz de aprender de maneira incrível e rápida. O lado negativo é que você pode aprender tanto coisas úteis quanto inúteis.

Qual dos presentes é atormentado por seus próprios pensamentos? Você diz a si mesmo: "Gostaria de tirar tal coisa da minha cabeça". Mas o incrível é que, para começo de conversa, você tenha colocado tal coisa em sua cabeça! O cérebro humano é realmente fantástico. O que ele leva a pessoa a fazer é absolutamente incrível. O problema não é o que o cérebro não consiga aprender, como tem sido dito com freqüência. O grande problema é que ele aprende rápido e bem demais. Pense no caso da fobia, por exemplo. É impressionante que as pessoas consigam lembrar-se de ficarem aterrorisadas cada vez que vêem uma aranha. Nunca encontramos uma pessoa fóbica que olha para uma aranha e diz: "Droga, esqueci de ter medo". Existe alguma coisa que você deseje aprender de maneira tão profunda? Quando se olha por este prisma, uma fobia é um tremendo sucesso em termos de aprendizagem. E, ao analizarmos o histórico da pessoa fóbica, veremos que se trata de aprendizado instantâneo: foi necessário apenas uma experiência para aprender algo que ela bai lembrar pelo resto da vida.

Quem já leu a respeito das experiências realizadas por Pavlov e seus cães, e a campainha e o resto?... E quem está com água na boca agora? Foi necessário colocar um cachorro numa jaula, tocar uma campainha e dar-lhe comida muitas vezes para que ele aprendesse. A única coisa que vocês tiveram que fazer foi *ler* a respeito e têm a mesma reação que teve o cão. Não é grande coisa, mas é uma prova da facilidade com que o seu cérebro aprende. Você é capaz de aprender mais rápido que um computador. O que precisamos é saber mais a respeito da experiência subjetiva do processo de aprendizagem, para que possamos administrar o que aprendemos, e ter maior controle sobre a nossa experiência e sobre o que aprendemos.

Vocês conhecem o fenômeno da "nossa música"? Durante um certo tempo, quando saíam com alguém muito especial, havia uma música que escutavam o tempo todo. Agora, sempre que vocês ouvem esta música, pensam naquela pessoa e sentem aquelas sensações agradáveis novamente. É o mesmo caso da campainha de Pavlov e a salivação. A maioria das pessoas não tem idéia de como é fácil vincular experiências desta maneira e de como é rápido se a pessoa souber como fazê-lo de maneira sistemática.

Uma vez assisti um terapeuta criar um agoráfobo em apenas uma sessão. Tratava-se de um homem agradável e bem-intencionado que gostava dos seus pacientes. Ele tinha uma vasta experiência clínica, mas não tinha a mínima idéia do que estava fazendo. O seu cliente tinha uma fobia de altura caracterizada. O terapeuta disse-lhe para fechar os olhos e se imaginar num local alto. Urrp — o paciente fica vermelho e começa a tremer. "Agora pense em algo que lhe dê confiança." Ummm. Agora pense em um lugar bem alto. Urrp. "Agora, imagine-se dirigindo confortavelmente o seu carro." Ummm. "Pense em um lugar alto." Urrp...

Este paciente acabou por ter uma reação fóbica em relação a quase todos os aspectos da sua vida — o que é chamado amiúde de agorafobia. O que o terapeuta fez foi brilhante, de certa forma. Ele transformou a experiência de seu cliente, ligando experiências diferentes. No entanto, a sua escolha do que generalizar não me parece a melhor. Ele ligou a sensação de pânico do seu cliente a todos os contextos em que ele se sentia seguro na vida. O mesmo processo pode ser usado para generalizar uma sensação agradável. Se o terapeuta de que falamos tivesse entendido o processo que estava usando ele poderia tê-lo revertido.

Já vi o mesmo acontecer em terapias de casais. A mulher começa a reclamar sobre alguma coisa que o marido fez e o terapeuta diz: "Olhe para o seu marido enquanto diz isto. É necessário olhar para os seus olhos". Todos os seus sentimentos desagradáveis ficarão ligados ao rosto do seu marido, e cada vez que olhar para ele, ela terá a mesma sensação ruim.

Virgínia Satir utiliza este mesmo processo na terapia familiar, porém revertido. Ela pede ao casal que se lembrem dos tempos em que estavam no início do namoro e quando eles começam a se lembrar, *então* ela faz com que se olhem. E diz algo do tipo: "Quero que se dêem conta de que esta é a mesma pessoa por quem se sentiam tão apaixonados alguns anos atrás". Isto faz com que haja uma sensação completamente diferente — e muito mais útil, em geral — ligada ao rosto da pessoa.

Um casal que estava em terapia já há algum tempo, mas ainda brigava, veio me ver. Antes, eles brigavam o tempo todo em casa, mas na época em que me procuraram, só brigavam no consultório do terapeuta. Provavelmente o que o terapeuta lhes disse foi: "Quero que reservem todas as suas discussões para quando vierem no consultório, a fim de que eu possa observar como brigam".

Eu queria descobrir se as discussões estavam ligadas à figura do terapeuta ou ao consultório e pedi que fizessem uma experiência. Descobri que, quando iam ao consultório do terapeuta sem que ele se encontrasse presente, não havia briga, mas se a consulta fosse feita na casa do casal, eles brigavam. Assim, o que eu fiz foi dizer-lhes para não verem mais o terapeuta. Foi uma solução simples que os fez economizar bastante dinheiro e evitar muitos problemas.

Um dos meus clientes não conseguia ficar zangado porque ficava imediatamente assustado. É como se ele tivesse uma fobia da zanga. O caso é que quando ele era criança, cada vez que ele ficava zangado, os seus pais ficavam furiosos e o assustavam durante uma semana, de forma que ele fez uma ligação entre os dois fatos. Há mais de 15 anos ele não vivia com os pais, mas ainda reagia da mesma forma.

Cheguei ao campo da mudança pessoal passando pelo mundo da matemática e da ciência de informática. As pessoas que lidam com computadores, de modo geral, não querem que o seu trabalho tenha nada a ver com os seres humanos. Eles chamam este contacto de "sujar as mãos" e gostam de trabalhar com máquinas brilhantes e de usar jalecos impecavelmente brancos. Mas eu descobri que a melhor representação da maneira como a minha cabeça funciona é — sobretudo em termos de limitações — o computador. Tentar fazer com que um computador faça alguma coisa — pouco importa se é simples ou não — é o mesmo que tentar fazer com que uma pessoa faça algo.

A maioria de vocês já viram um jogo de computador. Mesmo os mais simples são difíceis de serem programados, porque se tem que usar os mecanismos de comunicação bastante limitados que a máquina possui. Ao instruí-la para executar uma tarefa qualquer, as instruções devem ser organizadas de maneira que a informação possa ser processada para que o computador possa realizar a tarefa. O cérebro, como o computador, não é flexível. Ele faz exatamente o que se *manda*, não o que se *quer*. Depois, a gente fica louco de raiva porque ele não faz o que a gente *gostaria* que ele tivesse feito!

Uma das tarefas de programação é chamada de modelagem, e é o que eu faço. A modelagem coloca o computador para fazer o mesmo que um ser humano. Como conseguir que uma máquina ligue e desligue as luzes na hora certa e resolva um problema de matemática? Os seres humanos fazem isto. Alguns sempre bem, outros de vez em quando e outros ainda nunca conseguem fazê-lo bem. O modelador tenta obter a melhor representação da maneira como uma pessoa desempenha uma tarefa e torna-a disponível para a máquina. Não me importa se a representação reflete realmente o modo como a tarefa é desempenhada por alguém. Os modeladores não têm de ser os donos da verdade. O que é necessário é descobrirmos algo que funcione. Somos os autores do livro de receitas. Não precisamos saber *por que* se trata de um bolo de chocolate, queremos saber *o que* colocar no bolo para que saia do jeito que queremos. O fato de seguir uma única receita não quer dizer que não existam outras maneiras de se fazer o bolo. O que desejamos saber é *como*, a partir dos ingredientes, fazer o bolo de chocolate, de uma maneira detalhada. Também queremos ser capazes de saber, a partir do bolo de chocolate, que ingredientes foram usados, quando alguém não deseja nos fornecer a receita.

Esta é a tarefa de uma especialista da informação: decompor a informação. A informação mais interessante que se pode obter é a subjetividade de outro ser humano. Se alguém sabe fazer algo que nos interessa aprender, queremos poder modelar este comportamento, e os nossos modelos vêm da experiência subjetiva: "O que esta pessoa faz dentro da cabeça dela que posso aprender?". É impossível obter a longa experiência que ela possui, e o resultado magnífico que esta experiência produz, mas posso conseguir, de pronto, algum tipo de informação sobre *a estrutura* do que ela faz.

Quando comecei a fazer modelagem, pareceu-me lógico descobrir o que a psicologia já sabia sobre o funcionamento do intelecto das pessoas. Mas cheguei à conclusão de que a psicologia consistia basicamente em um grande número de descrições sobre a falta de estrutura das pessoas. Havia algumas vagas noções sobre o que significava ser uma "pessoa completa", ou "real", ou "íntegra", mas a grande maioria referia-se às várias maneiras de desestruturamento humano.

O livro *Manual de Diagnóstico e Estatística III*, usado por psiquiatras e psicólogos, contém mais de 450 páginas de descrições sobre o desequilíbrio mental, porém nem uma única sobre saúde mental. A esquizofrenia é um dos mais prestigiados desequilíbrios mentais; a catatonia é uma maneira tranqüila de desequilíbrio. E a histeria, apesar de muito em voga durante a Primeira Grande Guerra, está fora de moda atualmente. De vez em quando, ainda a encontramos em alguns imigrantes pouco cultos, que perderam contacto com o progresso. Se tiver sorte, você conseguirá encontrar um ou outro, hoje em dia. Eu conheci cinco nos últimos sete anos, sendo que dois deles eu mesmo fabriquei, usando a hipnose. Agora, está na moda estar no "limite" do desequilíbrio. O que significa que não se é nem completamente louco nem completamente são — como se alguém deixasse de sê-lo! Nos anos 50, após o filme *As Três Faces de Eve*, as múltiplas personalidades eram sempre em número de três. Mas depois de *Sybil*, que tinha dezessete personalidades, estamos vendo cada vez mais gente com múltiplas personalidades, e sempre com *mais* de três.

E se vocês estão achando que estou sendo duro com os psicólogos, esperem um pouco. Sabe, nós que trabalhamos com computadores, somos tão loucos, que ganhamos de qualquer um que ande por aí. Qualquer pessoa que fique sentado 24 horas diante de um computador, tentando transformar a realidade em zeros e uns, está tão fora do mundo da experiência humana normal, que posso chamálo de louco e ainda estar elogiando-o.

Há muito tempo decidi que, já que eu não conhecia ninguém que fosse tão louco quanto eu, as pessoas não deviam ser tão desequilibradas assim. O que percebi foi que as *pessoas funcionam perfeitamente bem*. Talvez eu não goste do que elas fazem, e tampouco elas, mas conseguem repetir o seu comportamento de maneira sistemática. Isto não quer dizer que sejam desequilibrados, apenas que fazem alguma coisa diferente do que nós, ou que elas gostariam que fizessem.

Se você é capaz de criar imagens nítidas dentro da sua mente — sobretudo se consegue projetá-las externamente — poderá transformar-se num engenheiro civil ou num psicótico. Há mais recompensas financeiras para o engenheiro do que para o psicótico, mas este é bem mais divertido. Tudo o que as pessoas fazem tem uma estrutura, e se você descobrir que estrutura é essa, poderá saber como mudá-la. Você também poderá refletir sobre os contextos nos quais seria interessante ter esta estrutura. Pense na procrastinação, por exemplo. Que tal usá-la deixando para sentir-se mal mais tarde, quando alguém o insulta? "Ah, sei que deveria sentir-me mal agora, mas vou deixar para depois." E que tal usar a procrastinação para deixar de comer chocolate e sorvete para o resto da sua vida — sempre adiando para mais tarde.

No entanto, a maioria das pessoas não pensa assim. A base formal da psicologia é descobrir "O que há de errado". Depois que um psicólogo denomina o que está errado, ele quer saber *quando* a pessoa sente-se mal e *o que* a faz sentir-se mal. E então ele acha que já sabe *por que* ela sente-se mal.

Se você partir do princípio de que alguém não está bem, o próximo passo é saber se isto pode ou não ser consertado. Os psicólogos nunca se interessaram muito em descobrir *como* a pessoa chegou a sentir-se mal, ou *como a pessoa continua a manter aquele estado negativo*.

Outro problema com a maioria dos psicólogos é que eles examinam as pessoas com problemas para saber como ajudá-las. Isto equivale a ir a um ferro-velho para descobrir como fazer os carros funcionarem melhor. Ao estudarmos os esquizofrênicos aprenderemos muito sobre eles, mas nada sobre o que eles *não* são capazes de fazer.

Quando dei um curso em um hospital de doentes mentais, sugeri que os médicos examinassem os esquizofrênicos o suficiente para saber o que eles não podiam fazer. Depois, deveriam estudar as pessoas saudáveis para ensinar aos esquizofrênicos a fazer as coisas que estas pessoas conseguiam fazer.

Por exemplo, havia uma mulher que tinha o seguinte problema: quando ela pensava em algo, poucos minutos depois ela não conseguia distinguir entre o que era imaginação dela e o que havia realmente acontecido. Ela não sabia dizer se aquela imagem sobre a qual estava pensando era algo que tinha visto ou algo que tinha imaginado. Isto a fazia ficar confusa e a assustava tanto quanto um filme de terror. Eu lhe disse que quando ela imaginasse algo, colocasse uma moldura preta ao redor, para que, mais tarde, ela pudesse ver que estas imagens eram diferentes das lembradas. Ela experimentou e viu que dava certo — com exceção daquelas que haviam sido imaginadas anteriormente. Mas, já era um bom começo. Quando eu lhe disse exatamente o que ela deveria fazer, ela conseguiu fazer com perfeição.A sua ficha no hospital era longíssima, recheadas com 12 anos de análises e descrições feitas pelos psicólogos sobre a sua deficiência. Eles estavam procurando o "profundo significado interno". Estes psicólogos tomaram aulas de poesia e literatura em excesso, na faculdade. É muito mais fácil mudar se a pessoas souber o que e como fazer.

A maioria dos psicólogos acha difícil comunicar-se com os loucos. Em parte eles têm razão, porém isto também é conseqüência da maneira como eles tratam os loucos. Se alguém age de maneira um pouco estranha, dão-lhe montes de calmantes e trancam-no com mais tantas outras pessoas na mesma situação. Observam-no durante 72 horas e dizem: "Meu Deus, ele tem reações estranhas". Como se a maioria de nós não tivesse, caso nos encontrássemos na mesma situação.

Quantos aqui leram uma reportagem intitulada "Pessoas sãs em lugares insanos?". Um sociólogo fez uma experiência, na qual alguns de seus alunos formados, saudáveis e alegres se internaram em hospitais para doentes mentais. Todos foram diagnosticados como tendo sérios problemas mentais. A maioria deles teve problemas para sair dos hospitais porque os médicos achavam que o desejo que eles tinham de sair era uma demonstração de que não estavam bem. Os pacientes viram que os estudantes não eram loucos, mas sim os médicos.

Há alguns anos, quando comecei a estudar outras formas de mudança, os psicólogos e psiquiatras eram considerados especialistas em mudança pessoal. Eu achava que muitos deles eram a própria encarnação de neuroses e psicoses. Vocês já viram um id, por acaso? E uma formação de reação libidinosa infantil? Uma pessoa que fale desta maneira não tem direito de chamar outra pessoa de louca.

Muitos psicólogos acham que os catatônicos são os piores, porque não se consegue fazer com que eles se comuniquem com outras pessoas. Ficam simplesmente sentados sem se mexerem até que alguém os tire do lugar. Na realidade é muito fácil fazer com que eles se comuniquem com alguém. Bata na mão deles com um martelo, por exemplo. Ao levantar a mão para bater de novo, ele puxa a mão e diz: "Não faça isto comigo!". Isto não quer dizer que ele esteja "curado", mas que se encontra num estado em que se torna muito mais fácil se comunicar com outra pessoa. É um primeiro passo.

A um certo momento pedi aos psiquiatras da minha cidade que me enviassem todos os doentes com os quais estivessem tendo dificuldades. Descobri que é mais fácil trabalhar com os clientes mais difíceis, a longo prazo. Acho mais fácil trabalhar com um esquizofrênico do que fazer com que uma pessoa normal pare de fumar, se ela não quiser. Os psicóticos parecem ser imprevisíveis, entrando e saindo da sua loucura de maneira inesperada. Porém, como qualquer outra coisa que as pessoas fazem, a psicose tem uma estrutura sistemática. Mesmo um esquizofrênico não acorda um belo dia com características maníaco-depressivas. Se aprendermos como funciona a estrutura, é possível conseguir que ele entre e saia. Se aprendermos bastante bem poderemos fabricar as nossas próprias crises, à vontade. Se um dia vocês precisarem conseguir um quarto num hotel cheio, nada melhor do que ter um ataque psicótico. É bom que consiga parar o ataque assim que conseguir a reserva, senão o quarto que eles lhe darão será acolchoado.

Sempre achei que a abordagem feita por John Rosen fosse bastante útil: entrar na realidade do psicótico e depois acabar com esta realidade. Existem várias maneiras de se fazer isto, e algumas não são nada evidentes. Tive um paciente que ouvia uma voz vinda das tomadas elétricas e ela o forçava a fazer certas coisas. Eu achei que se tornasse estas alucinações verdadeiras ele deixaria de ser esquizofrênico. Escondi um alto-falante perto de uma tomada na minha sala de espera. Quando ele chegou a tomada disse: "Oi!". Ele olhou para ela e disse: "Você não parece a mesma".

"Sou uma nova voz. Você achava que só existia uma única?"

"De onde você vem?"

"Isto não lhe diz respeito."

Como ele tinha de obedecer à voz, fiz com que ela lhe desse as instruções necessárias para que mudasse. A maioria das pessoas tem uma maneira própria de lidar com a realidade. Quando tomo a realidade em mãos, eu a *viro de cabeça para baixo!* Não acredito que existam pessoas loucas. Elas apenas aprenderam a fazer o que fazem. É muito interessante observar o que as pessoas aprenderam a fazer e, para dizer a verdade, existem mais coisas interessantes fora dos hospitais psiquiátricos do que dentro deles.

Grande parte da experiência das pessoas não diz respeito à realidade e sim à realidade *partilhada*. Há pessoas que vendem livros religiosos e dizem que o mundo vai acabar em duas semanas. Elas conversam com os anjos e com Deus, mas não são consideradas loucas. Mas se uma pessoa sozinha é apanhada falando com um anjo, ela é taxada de louca. Ao construir uma realidade própria é melhor certificar-se de que pelo menos alguns amigos vão dividir esta realidade com você, senão terá graves problemas. Esta é uma das razões por que ensino PNL. Quero que, pelos menos, algumas outras pessoas dividam esta realidade comigo, senão os homens de jaleco branco podem querer trancafiar-me.

Físicos também têm uma realidade partilhada com outras pessoas. Fora isto, não há muita diferença entre um físico e um esquizofrênico. Os físicos também falam de algo que não se pode ver. Quantos de vocês já viram um átomo? E, muito menos, uma partícula subatômica. Há uma grande diferença neste caso: os físicos são mais flexíveis a respeito das suas alucinações, chamadas por eles de "modelos" ou "teorias". Quando uma de suas alucinações é desafiada por novas informações, eles desistem das suas antigas teorias com mais facilidade.

Muitos aqui aprenderam um modelo de átomo que diz que existe um núcleo feito de prótons e nêutrons, com os elétrons girando ao redor, como se fossem pequenos planetas. Niel Bohr ganhou o prêmio Nobel por esta descrição na década de 20. Por mais de 50 anos esta descrição serviu como base para um grande número de descobertas e invenções, do tipo do plástico usado nestas cadeiras nas quais vocês estão sentados.

Recentemente, os físicos decidiram que a descrição do átomo feita por Bohr estava errada. Fiquei me perguntando se iriam tirar o Nobel de Bohr, e descobri que ele morreu e, portanto, já gastou o dinheiro do prêmio. O que é mais incrível é que todas as descobertas feitas com base neste modelo "errado" ainda existem. As cadeiras de plástico não deixaram de existir quando os físicos mudaram de idéia. A Física apresenta-se como uma ciência muito "objetiva", mas já observei que a Física muda e o mundo continua o mesmo, de forma que deve haver algo subjetivo em relação a ela.

Um dos meus heróis de infância era Einstein. Ele reduziu a física ao que os psicólogos chamam de "fantasia orientada" e o que ele chamava de "experiência de pensamento". Ele visualizava como seria viajar na cauda de um feixe de luz. E ainda dizem que ele era acadêmico e objetivo! Um dos resultados desta experiência de pensamento foi a sua famosa Teoria da Relatividade.

A diferença da PNL é que construímos de propósito mentiras para entender a experiência subjetiva do ser humano. Ao se estudar a subjetividade, não há por que ser objetivo. Passemos então a algumas experiências subjetivas...

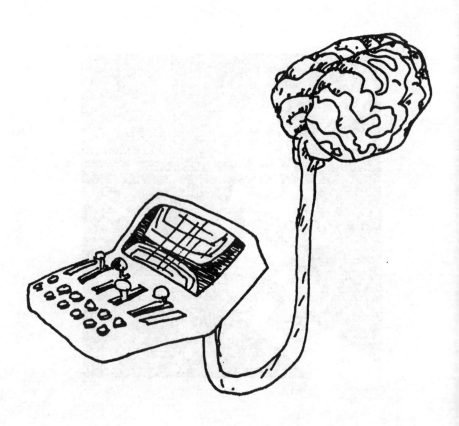

II

COMANDANDO O SEU PRÓPRIO CÉREBRO

Gostaria que tentassem algumas experiências bastante simples para aprenderem a comandar o seu próprio cérebro. *Para que possam entender o que será ensinado no decorrer deste livro é absolutamente necessário que façam estas experiências.*

Quero que cada um de vocês pense em uma experiência agradável do passado — pode ser algo sobre o qual não pensam há muito tempo. Parem por um momento para terem acesso àquela lembrança, vendo exatamente o que viram na ocasião. Podem fechar os olhos se acharem que fica mais fácil...

Ao reverem a lembrança agradável, quero que modifiquem a luminosidade da imagem, observando de que maneira as suas sensações mudam também. Primeiro, tornem-na mais e mais clara... Agora mais e mais escura, até que quase não a possam ver... De novo, façam-na ficar mais clara.

De que forma a sua sensação é modificada? Há sempre exceções, porém, para a maioria das pessoas, ao tornar a lembrança mais clara, as sensações tornam-se mais fortes. Em geral, ao aumentarmos a luminosidade da imagem as sensações aumentam também, e ao diminuirmos a claridade as sensações também tornam-se mais fracas.

Quantos já pensaram sobre a possibilidade de variar, intencionalmente, a luminosidade de uma imagem interna para modificarem as suas sensações? A grande maioria das pessoas deixa o cérebro mostrar, de maneira aleatória, as imagens que quer, e reage sentindo-se bem ou mal em relação a elas.

Agora, pensem em algo desagradável, que os façam sentir-se mal. Escureçam a imagem, cada vez mais... Se diminuírem o suficiente a luminosidade da lembrança, ela não mais os incomodará. E, com isto, todos poderão economizar muito dinheiro gasto em psicoterapia.

Eu aprendi a fazer isto com pessoas que já o faziam. Uma mulher contou-me, certa vez, que estava sempre alegre e que não deixava que nada a chateasse. Perguntei-lhe como conseguia e ela disse: "Quando penso em algo negativo, simplesmente diminuo a luminosidade".

A luminosidade é uma das "submodalidades" da modalidade visual. Submodalidades são elementos universais que podem ser usados para mudar qualquer imagem visual, qualquer que seja o seu conteúdo. As modalidades auditiva e cinestésica também têm as suas submodalidades, mas, por ora, trataremos apenas das visuais.

A luminosidade é apenas uma das coisas que podemos modificar. Antes de passarmos às outras submodalidades quero que examinemos as exceções ao impacto, que tem em geral a luminosidade. Se tornarmos a imagem tão luminosa que os detalhes se tornem tão difusos a ponto de desaparecerem, isto pode reduzir, ao invés de aumentar, a intensidade das suas sensações. Em geral, a relação não é mantida se levada ao extremo. Para algumas pessoas, a relação é revertida na maioria dos contextos, de forma que ao se aumentar a luminosidade, a intensidade da sensação diminui.

Algumas das exceções estão relacionadas ao conteúdo. Se a sua lembrança agradável inclui candelabros, um pôr-do-sol ou um crepúsculo, o seu charme deve-se em parte à pouca luminosidade; aumentando-a, as sensações podem diminuir. Por outro lado, se a pessoa lembrar-se de um tempo em que tinha medo do escuro, talvez a razão seja por não conseguir enxergar no escuro. Se aumentar a luminosidade, vendo que não há nada a temer, o medo diminuirá ao invés de aumentar. Como vêem, sempre há exceções e ao examiná-las veremos que elas fazem sentido. Qualquer que seja a relação, pode-se usar a informação para modificar a experiência.

Agora, passemos a outra variável de submodalidade. Escolha outra lembrança agradável e modifique o seu tamanho. Primeiro, aumente-o, cada vez mais... e depois diminua-o observando a mudança das suas sensações...

O que acontece em geral é que uma imagem maior intensifica a sua reação e uma menor a diminui. É claro que existem exceções à regra, sobretudo no extremo superior da escala. Quando uma imagem torna-se grande demais, pode subitamente parecer ridícula ou irreal. Neste caso, a sua reação pode mudar em *qualidade*, em vez de intensidade — do prazer ao riso, por exemplo.

Ao modificar o tamanho de uma lembrança desagrádavel, talvez descubra que, diminuindo-a, a sua sensação também torna-se mais fraca. E, se ao fazer com que fique enorme ela torna-se ridícula e risível, poderá usar este artifício para sentir-se melhor. Experimente. Descubra o que funciona melhor para você...

Pouco importa a relação, do momento que descubra como ela funciona para o *seu* cérebro, para conseguir aprender a controlar a sua experiência. Se pararmos para pensar um pouco, veremos que nada disto é surpreendente. As pessoas falam sobre um "futuro sombrio" ou "perspectivas brilhantes". "Tudo parece tão pouco claro." "Me deu um branco, agora." "É uma coisa insignificante, mas ela faz com que pareça maior do que é na realidade." Quando alguém diz este tipo de frase, não se trata de metáfora. Em geral, é uma descrição literal e exata da experiência interna da pessoa.

Se alguém "faz com que algo pareça maior do que é na realidade", pode-se dizer a ela que diminua o tamanho da imagem. Se ela enxerga um "futuro sombrio", faça com que ela o ilumine. Parece simples... e é.

Existe tanta coisa dentro de sua cabeça com a qual você nunca pensou em se divertir. Você não acha certo mexer com a sua cabeça, não é? Deixe que os outros o façam. Tudo o que aconteceu na sua mente diz respeito diretamente a você, e está potencialmente ao seu alcance. A pergunta é: "Quem vai comandar o seu cérebro?".

Gostaria que vocês agora fizessem outras variações de elementos visuais para descobrir de que maneira pode-se mudá-los conscientemente para agir sobre as respostas que provocam. Quero que tenham uma compreensão concreta de como é possível controlar a sua própria experiência. Se vocês se detiverem agora e tentarem mudar as variáveis da lista abaixo, terão uma base sólida para entenderem o que vem a seguir. Se acharem que não têm tempo para isto, é melhor deixarem este livro de lado, irem para o fundo do ônibus e lerem revistas em quadrinhos ou qualquer outra coisa.

Para quem quer realmente aprender a comandar o seu cérebro, então escolha qualquer tipo de experiência e tente mudar os elementos visuais relacionados abaixo. Faça o mesmo com a luminosidade e o tamanho: tente uma direção... e depois outra, para descobrir como a sua experiência é modificada. Para conhecer a maneira como o seu cérebro funciona, é necessário mudar um elemento de cada vez. Se mudar dois ou mais, ao mesmo tempo, não saberá qual deles, e quanto, estará influindo sobre a sua experiência. Aconselho vocês a fazerem esta tentativa com uma experiência agradável.

1) *Cor*. Varie a intensidade do colorido intenso, até o preto e branco.

2) *Distância*. Varie de bem perto a bem longe.

3) *Profundidade*. Varie a dimensão de uma fotografia convencional até uma imagem em três dimensões.

4) *Duração*. Varie de uma imagem rápida e passageira para uma imagem persistente que continue por algum tempo.

5) *Luminosidade*. Varie a imagem passando de uma claridade cristalina até uma imagem sombria e indistinta.

6) *Contraste*. Ajuste a diferença entre claro e escuro, entre algo bem contrastado a variações contínuas de cinza.

7) *Extensão*. Passe de uma foto emoldurada a uma imagem panorâmica que continua ao seu redor, de forma que ao virar a cabeça possa continuar a vê-la.

8) *Movimento*. Faça com que a foto ou diapositivo transforme-se em um filme.

9) *Velocidade*. Mude a velocidade do filme, de muito lento a muito rápido.

10) *Matiz*. Mude o equilíbrio das cores. Aumente a intensidade do vermelho e diminua a do azul e do verde, por exemplo.

11) *Transparência*. Torne a imagem transparente, para poder ver através dela.

12) *Proporção*. Faça a imagem ficar comprida e estreita... e, depois, curta e larga.

13) *Orientação*. Leve a imagem para longe de você... e, depois, traga-a para bem perto.

14) *Primeiro e Segundo planos*. Varie a diferença ou a separação entre o primeiro plano (o que lhe interessa mais) e o segundo plano (o contexto que se encontra ali por acaso)... Em seguida, tente reverter a ordem, de forma que o que está em segundo plano passe a ficar em primeiro. (Mais variáveis, no Apêndice I.)

Depois disto, quase todos vocês já têm uma idéia das maneiras de mudar a sua experiência, modificando as submodalidades. Sempre que vocês descobrirem um elemento que realmente funcione bem, parem por um instante para refletir sobre onde e quando seria interessante usá-lo. Por exemplo, uma lembrança aterrorizante — mesmo que seja um filme. Faça-a ficar enorme, de repente... Esta é impressionante. Se alguém aqui tiver dificuldade em acordar de manhã, experimente fazer isto em lugar de tomar café!

Eu pedi a vocês para experimentarem uma das submodalidades de cada vez para ver como funcionam. A partir do momento que saibam como cada uma delas funciona, poderão conjugá-las a mudanças ainda mais intensas. Por exemplo, procurem lembrar-se de uma experiência sensualmente prazerosa. Certifiquem-se de que se trata de um filme, não de um diapositivo imóvel. Agora tragam esta imagem para mais perto de vocês. E quanto mais perto ela for chegando, aumentem a sua luminosidade, fortaleçam o colorido e diminuam a velocidade pela metade. Como vocês já conhecem um pouco sobre a forma como funciona o seu cérebro, façam o que funciona melhor para intensificar ainda mais esta experiência. Vão em frente...

Estão sentindo-se diferentes? Isto pode ser feito a qualquer momento... e já estarão quites. Antes de serem desagradáveis com alguém por quem estejam apaixonados, parem e façam esta experiência. Quem sabe o que poderia acontecer de interessante, julgando-se pelo olhar de vocês agora... Coisas muito singulares, com certeza!

O que eu acho engraçado é que muitas pessoas fazem isto ao contrário, isto é, quantas vezes vocês já pensaram nas boas recordações como instantâneos difusos, distantes, indistintos, em preto e branco, enquanto que as más recordações eram lembradas num colorido forte, de perto, e em três dimensões. Esta é uma maneira ótima de se ficar deprimido e decidir que a vida não vale a pena. Todos nós temos experiências boas e ruins; o que faz a diferença é, em geral, como nos lembramos delas.

Certa vez, durante uma festa, fiquei observando uma mulher. Durante três horas ela divertiu-se a valer — conversou, dançou e apareceu de maneira esplendorosa. Na hora que ela estava indo embora, alguém derramou café na parte posterior do seu vestido. Enquanto ela se limpava, dizia: "Minha noite foi por água abaixo!". Agora, vejam só, um único momento desagradável foi o suficiente para estragar três horas de alegria! Fiquei curioso e perguntei-lhe sobre o momento em que estava feliz, dançando. Ela respondeu, dizendo que se via dançando com uma mancha de café no vestido! Ela literalmente manchou todas as suas antigas lembranças.

Muita gente faz a mesma coisa. Uma vez, um homem me contou: "Pensei que tivesse sido feliz por uma semana inteira. Mas, depois, olhei para trás e dei-me conta de que não tinha sido realmente feliz, tudo não passara de um engano". Ao olhar para trás, ele recodificou toda a sua experiência daquela semana e passou a crer que tinha sido uma semana horrorosa. Eu fiquei pensando: "Se ele consegue rever a sua estória tão facilmente, *por que* não faz o inverso? Por que não tornar todos os acontecimentos ruins em experiências agradáveis?".

As pessoas com freqüência examinam o passado quando se divorciam ou ao descobrirem que o parceiro teve um caso extraconjugal. De repente, todos os bons momentos que passaram juntos parecem desvanecer-se. "Foi tudo uma mentira." "Eu só estava me enganando."

Quem faz regime para emagrecer, muitas vezes reage da mesma maneira. "Bem, eu pensei que o regime estivesse dando certo. Perdi dois quilos por semana, durante três meses seguidos. Depois engordei meio quilo e vi que o regime não estava dando resultado." Muita gente já perdeu peso com sucesso, muitas vezes, mas nunca lhes passou pela cabeça que estivessem indo pelo caminho certo. Basta apenas uma leve indicação de que estejam engordando e decidem que "tudo deu errado".

Um homem decidiu fazer terapia porque tinha medo "de se casar com a mulher errada". Ele estava saindo com uma moça, achava que a amava e queria realmente se casar com ela, a ponto de pagar uma terapia que o ajudasse a tomar uma decisão. Ele achava que não conseguiria decidir-se sozinho porque já havia sido casado uma vez com "a mulher errada". Ao ouvi-lo dizer isto, pensei: "Então, quando ele voltou para casa, após a cerimônia religiosa, deve ter descoberto que a mulher era uma desconhecida. Talvez tenha entrado na igreja errada, ou algo do estilo". O que quer dizer casar com a "mulher errada"?

Quando lhe perguntei o que ele queria dizer com isto, descobri que se divorciou após cinco anos de casamento. No caso dele, os primeiros quatro anos e meio tinham sido formidáveis. Depois foi ficando ruim, de forma que os cinco anos foram um erro terrível. "Desperdicei cinco anos da minha vida e não quero que isto aconteça novamente. Assim, passarei os próximos cinco anos tentando descobrir se esta é a mulher certa para mim." Ele estava realmente preocupado com isto. Não era uma brincadeira para ele. Era importante. Mas nunca lhe ocorreu que a colocação da pergunta não era apropriada.

Este homem já sabia que ele e a sua namorada faziam-se felizes um ao outro, em vários aspectos. Ele não parou para pensar de que maneira ficar ainda mais feliz com ela, ou como fazê-la ainda mais feliz. Já havia decidido que era preciso descobrir se esta era "a mulher certa" para ele, ou não. Ele nunca questionou a sua habilidade de tomar *esta* decisão, mas não confiava na sua habilidade de decidir casar-se ou não com ela!

Certa vez, perguntei a um homem de que maneira ele ficava deprimido, e ele respondeu: "Bom, quando entro no meu carro e descubro que um dos pneus está arriado".

Bem, é verdade que isso é desagradável, mas não me parece o suficiente para se ficar deprimido. Como é que você faz para que se torne deprimente de verdade?

Eu sei que para cada uma das vezes que o seu carro quebrou houve centenas de vezes em que ele funcionou à perfeição. Mas, ele não pensava naquele momento sobre isso. Se eu conseguir com que ele pense em todas as ocasiões em que o carro funcionou bem, ele não ficará deprimido.

Fui certa vez consultado por uma mulher que dizia estar deprimida. "Como é que você sabe que está deprimida?" Ela me olhou e respondeu que o seu psiquiatra havia-lhe dito. Eu disse: "Talvez ele esteja errado; talvez você não esteja deprimida; talvez isto seja estar feliz!". Ela olhou para mim, levantou a sobrancelha e disse: "Acho que não". Mas ela não havia respondido à minha pergunta:

"Como é que sabe se está deprimida?". "Se você estivesse feliz, como saberia?" "Você já esteve feliz alguma vez?"

Descobri que a maioria das pessoas deprimidas teve tantas experiências agradáveis quanto as outras pessoas, só que quando elas se lembram dessas experiências acham que não foram tão agradáveis assim, na realidade. Em vez de usarem lentes cor-de-rosa, usam lentes cinza. Conheci uma senhora maravilhosa que colocava uma coloração azulada nas experiências desagradáveis e uma rosa nas que eram agradáveis. Ela classificava-as bem. Ao se lembrar de algo, e mudar a sua cor, a lembrança era completamente transformada. Não sei lhes dizer *por que* funciona, é *assim que* ela *o faz* subjetivamente.

A primeira vez que um dos meus clientes disse: "Estou deprimido", respondi: "Oi, sou Richard". Ele parou e disse: "Não".

"Não sou?"

"Espere um pouco. Você está confuso."

"Não estou confuso. Está tudo muito claro para mim."

"Sinto-me deprimido há 16 anos."

"Muito interessante! Nunca dormiu durante todo este tempo?"

A estrutura do que ele estava dizendo era a seguinte: "Eu codifiquei a minha experiência de tal maneira que estou vivendo na ilusão de manter o mesmo estado de consciência por 16 anos". Eu *sei* que ele não está deprimido há 16 anos. Ele tem de almoçar, se chatear e outras coisas mais. Tentem manter o mesmo estado de consciência por 20 minutos. Gasta-se muito dinheiro e tempo para aprender a meditar para manter o mesmo estado durante uma ou duas horas. Se uma pessoa ficasse deprimida durante uma hora seguida, nem mesmo seria capaz de percebê-lo porque a sensação se tornaria um hábito, ficando assim imperceptível. Se fazemos algo durante muito tempo, não seríamos mais capazes de percebê-lo. Isto é o que o hábito faz, mesmo a nível de sensação física. Assim, eu sempre me pergunto: "Como esta pessoa pode acreditar que tem estado deprimido todo este tempo?". Pode-se curar algo que na verdade a pessoa nunca teve. "16 anos de depressão" podem ser, na realidade, apenas 25 horas de depressão.

Porém, se aceitarmos a afirmação deste cliente de que "Estou deprimido há 16 anos" sem questionar, estaremos aceitando a pressuposição de que ele tenha mantido um mesmo estado de consciência por tanto tempo. E, se partimos do princípio de que o objetivo é torná-lo feliz, estaremos tentando colocá-lo permanentemente em *outro* estado de consciência. Talvez até se consiga fazê-lo crer que é uma pessoa feliz o tempo todo. Podemos ensinar-lhe a recodificar todos os momentos da sua vida como felizes. Não importa o quanto ele se sinta infeliz, pensará que está feliz o tempo todo. Na realidade, nada mudou para ele no presente — apenas quando ele pensa no passado. O que aconteceu foi que lhe demos uma nova ilusão para substituir a anterior.

Muitas pessoas sentem-se deprimidas porque têm uma boa razão para tal. Muitas têm vidas vazias, sem nenhum sentido e sentem-se infelizes. O fato de conversar com um terapeuta não mudará em nada essa condição, a não ser que a pessoa passe a viver de maneira diferente. Se alguém prefere gastar dinheiro em terapia, em vez de gastá-lo para divertir-se, não se trata de uma deficiência mental, mas de estupidez! Se você não fizer nada, é claro que ficará entediado e deprimido. Um exemplo extremo disto é a catatonia.

Quando alguém me diz que está deprimido, faço o de sempre: quero descobrir o que ela faz para ficar deprimida. Acho que se puder refazer os seus passos de maneira metódica e descobrir o que esta pessoa faz tão bem que possa repeti-lo, então posso dizer-lhe o que fazer para mudar a maneira de agir, ou achar alguém que não esteja deprimido e descobrir o que este faz para não ficar.

Algumas pessoas ouvem uma voz interna, que parece lenta, dar-lhes a lista do que fizeram de errado. É muito fácil ficar deprimido, assim. É como se tivessem alguns dos meus professores de faculdade dentro da cabeça. Não é de admirar que estas pessoas sintam-se deprimidas. Às vezes a voz interna é tão baixa que a pessoa não se dá conta até o momento em que você lhe pergunta. E, como se trata de uma voz inconsciente, terá um efeito muito mais forte do que se fosse consciente — o impacto hipnótico será mais profundo ainda.

Se por acaso já atenderam muitos clientes durante um único dia, é provável que, por momentos, tenham-se abstraído mentalmente durante algumas consultas. Chamamos de estados de transe estes momentos de abstração. Se estiver com um cliente que fala sobre os seus estados de depressão e sensações ruins, você começará a reagir a estas sugestões, como qualquer pessoa que está em transe. Se tiver clientes otimistas e bem-humorados, isto será positivo para você. Mas, se os seus clientes forem depressivos, no final do dia irá para casa sentindo-se péssimo.

Se uma das suas clientes tem uma voz interna que a faz ficar deprimida, tente aumentar o seu volume para que perca o seu impacto hipnótico. Em seguida, mude o tom de voz, para que se torne amistoso. A sua cliente se sentirá bem melhor, mesmo que a voz continue a recitar listas das suas falhas.

Muitas pessoas deprimem-se com imagens, e há toda uma série de variações. A pessoa pode criar colagens de todas as vezes em que falhou no passado, ou criar milhares de imagens de como as coisas *poderiam* ser ruins no futuro. Pode-se olhar para qualquer coisa do mundo real e sobrepor uma imagem da maneira como aquilo seria em 100 anos. Vocês certamente já ouviram falar em "começamos a morrer na hora em que nascemos". Esta é genial.

Toda vez que algo de bom acontecer, você pode dizer a si mesmo "Isto não vai durar" ou "Isto não é verdade" ou "Ele não estava sendo sincero". Existem várias maneiras de fazer isto. A pergunta é sempre a mesma: "Como é que esta pessoa faz isto?". Uma resposta detalhada a esta pergunta fornecerá todos os elementos para se descobrir como é que a pessoa faz, a fim de que possamos ensiná-la a agir de outra maneira. A única razão para a pessoa não mudar é que ela não sabe como. Já que fez isto durante tanto tempo, é algo "normal" para ela — não é questionado nem observado.

Uma das tendências mais loucas na nossa cultura é agir como se tudo fosse normal sob quaisquer circunstâncias. Isto pode ser demonstrado nitidamente como o exemplo de Nova York, no que me diz respeito. Ao passear pela Broadway, notará que ninguém está olhando em volta e dizendo: "Meu Deus!".

Outro lugar em que isto pode ser visto claramente é na cidade de Santa Cruz. O que as pessoas fazem em plena rua é completamente louco. E, no entanto, homens de ternos andam pelas ruas, conversando, como se nada estivesse acontecendo.

Também vim de um ambiente "normal". Quando eu tinha nove anos de idade e não tinha nada para fazer, costumava freqüentar um grupo que dizia: "Ei! Por que não roubamos um carro?" "Vamos arrombar uma loja de bebida e matar alguém".

Pensei que uma das maneiras de ser bem-sucedido na vida era conviver com pessoas ricas. Pensei que ficando perto delas conseguiria tornar-me igual a elas. Então fui para um lugar chamado Los Altos, onde vivem pessoas que têm dinheiro. Naquela época a Faculdade de Los Altos tinha prataria no refeitório e poltronas de couro no centro acadêmico. O estacionamento mais parecia a sala de exposição de uma revenda de automóveis. É claro que eu tinha que agir como se tudo isto fosse normal. "Ah, ótimo, está tudo numa boa."

Comecei a trabalhar com uma máquina com a qual se pode comunicar, chamada de computador, e tornei-me um aluno de Ciência de Computação. A faculdade ainda não tinha um departamento, porque o curso só havia começado uns dois anos antes. Como não podia me formar em computação, entrei em crise existencial. "O que vou fazer? Estudar psicologia." Naquela época comecei a trabalhar na publicação de um livro sobre Gestalt Terapia e fui mandado para um grupo de Gestalt, para ver como funcionava. Tratava-se da minha primeira experiência com terapia de grupo. Todo mundo que conheci quando pequeno era louco, e todo mundo com quem eu trabalhava também, de forma que pressupunha que quem fosse a um terapeuta fosse louco de *verdade*.

A primeira coisa que vi foi uma pessoa sentada, conversando com uma cadeira vazia. Pensei comigo: "Ah, eu estava certo. Eles *são* loucos mesmo". E depois vi um outro doido dizendo o que a pessoa deveria falar com a cadeira vazia! Fiquei preocupado porque me dei conta de que todo mundo na sala ficava olhando para a cadeira como se ela estivesse respondendo! O terapeuta perguntava: "E o que ele está dizendo?". Sendo assim, também comecei a olhar para a cadeira. Mais tarde, contaram-me que todos os presentes eram psicoterapeutas, então não havia nenhum problema.

Em seguida, o terapeuta perguntou: "Você está consciente do que a sua mão está fazendo?". Quando a pessoa respondeu "Não", eu entrei em parafuso. "Você está percebendo agora?" "Sim" "O que está fazendo? Exagere o movimento." Estranho, não acham? Depois, o terapeuta disse: "Expresse isto com palavras". "Quero matar, matar." No final, soube que esta pessoa era um neurocirurgião! O terapeuta disse: "Agora, olhe para aquela cadeira e diga-me quem você vê". Eu olhei e não vi ninguém ali! Mas o homem disse: "Meu irmão!".

"Diga a ele que está zangado."

"Estou zangado!"

"Mais alto."

"Estou *zangado*!"

"Com quê?"

E ele começa a dizer à cadeira todas as coisas sobre as quais está zangado e depois a ataca. Ele quebrou a cadeira em pedaços, pediu desculpas, conversou com ela e sentiu-se melhor. Depois, todo o grupo abraçou-o e disse-lhe coisas gentis.

Como eu já tinha tido contato antes tanto com cientistas como com assassinos, podia fazer de conta que tudo estivera normal quase o tempo todo, mas ali estava sendo difícil. Depois perguntei a outras pessoas: "O irmão dele estava realmente ali?".

Alguns responderam: "Claro que estava".

"Onde você o viu?"

"No meu *olho da mente*."

Pode-se fazer praticamente *qualquer coisa* porque, se agirmos como se fosse algo normal, outras pessoas vão pensar que é normal também. Pensem nisto. Podemos dizer: "Este é um grupo de psicoterapia", colocar algumas cadeiras em círculo e dizer: "Esta é a *cadeira quente*". E, depois, se dissermos: "Quem quer ser o primeiro?", todos ficarão nervosos enquanto ficam na expectativa. Até que, finalmente, uma das pessoas chega ao ponto de motivação criado pelo estresse e diz: "Quero trabalhar!". Aí dizemos: "Esta cadeira não é boa o suficiente para você. Venha e sente-se *nesta* cadeira especial". Uma cadeira vazia é indicada. Em geral, começa-se assim:

"Agora, conte-me o que você está percebendo."

"Meu coração está batendo."

"Feche os olhos, e diga-me o que está percebendo."

"As pessoas estão olhando para mim."

Pare para pensar durante um minuto. Quando ele está com os olhos abertos, está consciente do que acontece dentro de si e quando está com os olhos fechados sabe o que acontece fora de si! Para quem não está a par do que é a Gestalt Terapia, trata-se de algo que acontece com freqüência.

Há uma hora e um lugar para se falar com uma cadeira vazia e com certeza pode ser útil. Pode também ser muito perigoso em certos aspectos não assimilados pelas pessoas em geral. Aprendem-se certas *seqüências* de comportamento e não necessariamente o conteúdo. Eis a seqüência que se aprende em Gestalt: ao se sentir triste ou frustrado, alucine amigos ou parentes, fique zangado e violento, assim vai se sentir melhor e as outras pessoas serão mais gentis com você.

Se tomarmos esta seqüência e a transpusermos para o mundo real livre de conteúdo, o que aprenderemos com isto? Se não está sentindo-se bem, alucine, fique zangado e depois sinta-se bem a respeito do que fez. Será que isto pode ser usado como modelo para relações entre as pessoas? É assim que pretende relacionar-se com sua mulher e filhos? Mas por que fazer isto com alguém de quem se gosta? Se ficar furioso, descarregue com uma pessoa estranha.

Aproxime-se da pessoa, alucine que ele é um parente seu falecido, bata nele e sinta-se melhor. Algumas pessoas já fazem isto sem a influência da Gestalt Terapia, mas este padrão de comportamento não é considerado benéfico. Quando se faz terapia ou se aprende qualquer outro tipo de experiência repetida, assimila-se rapidamente o padrão e a seqüência do que é feito, mais do que o conteúdo em si. Mas, como grande parte dos terapeutas focaliza principalmente o conteúdo, nem chegarão a notar a seqüência do que estão ensinando.

Existem pessoas que olham direto nos seus olhos e dizem que são daquele jeito por causa de algo que aconteceu há muito tempo na infância. Se isto for verdade, então eles estão realmente com problemas porque nada poderá ser feito a respeito; não se pode voltar atrás no tempo.

No entanto, estas mesmas pessoas acham que se fingirem que estão de volta à infância poderão modificar o que aconteceu. O fato de não gostar do que aconteceu significa que é algo "mal resolvido" e que se pode voltar atrás para "resolvê-lo" da maneira que se acha melhor. Trata-se de uma ótima resignificação, e muito útil também.

Neste sentido acima, acho que *tudo* está mal resolvido: só é possível manter-se uma memória, crença, compreensão ou outro processo mental qualquer, de um dia para outro, se continuarmos a fazê-lo. Assim, ele estará sendo mantido. Se entendermos a maneira como este processo é preservado, podemos mudá-lo da maneira que acharmos melhor.

Na verdade, é bastante fácil modificar experiências passadas. O próximo ponto que quero ensinar é o que chamo de "terapia super-rápida". Como se trata também de uma terapia secreta, todos poderão experimentá-la agora.

Pensem em algo que os tenha perturbado ou em algo que os tenha desapontado e olhe atentamente o filme para saber se ainda sentem-se mal em relação ao fato. Se não, escolham outro filme...

Agora, passem o filme desde o início e, assim que começar, coloquem um agradável fundo musical de circo. E fiquem ouvindo esta música até o final do filme...

Agora, passem novamente o filme original... Estão sentindo-se melhor? Para a maioria, isto transformará uma tragédia em comédia, e a pessoa se sentirá mais leve em relação a ela. Se vocês têm uma lembrança que os faz sentirem-se chateados e zangados, coloque um fundo musical de circo. Desta maneira, ao se lembrarem novamente deste fato, ele virá acompanhado do fundo musical e a sensação não será mais a mesma. Talvez, para alguns de vocês, a música de circo não mude nada em relação àquela lembrança em especial. Sendo assim, ou se a sensação tornou-se mais desagradável, vejam se podem colocar outro tipo de música ou som que tenha um certo impacto sobre a lembrança. Experimente música de ópera ou operetas, ou de qualquer outro tipo e vejam o que acontece.

Escolham outra lembrança ruim. Passem o filme da maneira costumeira e descubram se ainda os incomoda...

Agora, passe de novo o filme, de trás para frente, como se o estivesse rebobinando, muito rapidamente, em apenas alguns segundos...

Agora passe-o mais uma vez...

Vocês ainda sentem a mesma coisa após terem passado o filme de trás para frente? Em absoluto. É como se disséssemos uma frase de trás para frente; o significado muda completamente. Experimente fazer o mesmo com todas as suas lembranças desagradáveis e economizará muito dinheiro gasto com terapia. Acreditem, quando isto se tornar conhecido o bastante, os terapeutas tradicionais vão sair do ramo tradicional e passar a engrossar o imenso batalhão dos vendedores de poções mágicas e outras coisas do gênero.

III

PONTOS DE VISTA

Quando dizemos: "Você não está enxergando o meu ponto de vista", estamos às vezes literalmente corretos. Gostaria que vocês pensassem em uma discussão que tiveram com alguém e sobre a qual tinham certeza de que estavam *com razão*. Vejam o filme da maneira como se lembram do que aconteceu...

Agora quero que passem o filme do que aconteceu, mas do ponto de vista da outra pessoa, para que possam se ver durante a discussão. Vejam o filme do início ao fim deste novo ponto de vista... Notaram alguma diferença? Talvez não muita para alguns de vocês, principalmente se já fazem isto naturalmente. Para outros, porém, pode existir uma grande diferença. Ainda têm certeza de que estavam com razão?

Homem: Assim que vi o meu rosto e ouvi o meu tom de voz, pensei: "Quem é que prestaria atenção no que este idiota está dizendo?!".

Mulher: Quando me tornei minha própria interlocutora, notei vários pontos sem nexo no meu argumento. Notei que estava funcionando à base de adrenalina e o que dizia não estava fazendo muito sentido. Vou pedir desculpas àquela pessoa.

Homem: Pela primeira vez escutei o que a outra pessoa estava me dizendo e fez sentido para mim.

Homem: Ao me escutar, pensava: "Não é possível dizer de outra maneira para expressar melhor o que está querendo dizer?".

Quantos aqui, após mudarem de ponto de vista, continuam a pensar que tinham razão?... Três, num total de 60. São essas as chances de estarem certos quando pensam que estão — aproximadamente cinco por cento.

Há séculos fala-se dos "pontos de vista". Mas sempre pensou-se que era mais uma metáfora do que a realidade. Não se sabia que instruções dar a alguém para que mudasse o seu ponto de vista. O que vocês acabaram de fazer é apenas uma das infinitas possibilidades. Qualquer coisa pode ser literalmente vista de qualquer ponto no espaço. Você pode ver-se a si mesmo e ao outro, do mesmo ponto de vista de um observador neutro. Você pode observar o que está acontecendo de cima, ou de baixo para ter uma visão "inferior". Pode adotar o ponto de vista de uma criança ou de um idoso. Fica um pouco mais metafórico e menos específico, mas se dá certo para alguém, não há por que não usá-lo.

Quando algo de ruim acontece, há quem diga: "Isto não fará nenhuma diferença dentro de algum tempo". Isto não causa impacto a certas pessoas, que talvez pensem: "Ele não compreende". No entanto, para algumas pessoas, dizer ou ouvir isto pode ajudá-las a enfrentar os seus problemas. Sendo assim, perguntei a estas pessoas o que faziam internamente quando diziam essa frase. Uma delas disse que se imaginava lá no alto do sistema solar, observando os planetas dando voltas ao redor de suas órbitas. Daquele ponto de vista, ele só enxergará a si mesmo e aos seus problemas como uma pequena partícula. As imagens criadas por outras pessoas podem ser de outro estilo, mas em todas elas os problemas tornam-se apenas um pequeno detalhe da imagem e a uma grande distância; e a velocidade é também aumentada — cem anos comprimidos em um filme rápido.

No mundo inteiro existem pessoas que fazem coisas incríveis com o seu próprio cérebro e que dão resultado. E não é só isso: eles dizem o que estão fazendo. Se vocês pararem para lhes fazer algumas perguntas, vão descobrir uma imensidade de coisas que o seu cérebro pode fazer.

Há uma outra frase que sempre me intrigou. Quando se está fazendo algo desagradável ouvimos que "daqui a algum tempo, quando você se lembrar disto, será capaz de achar muito engraçado". Deve haver algo que acontece neste meio tempo, na cabeça das pessoas, que transforma experiências desagradáveis em engraçadas. Quantos aqui têm velhas experiências que são engraçadas agora?... E quantos têm velhas experiências das quais não conseguem rir ainda?... Quero que comparem as duas experiências para saber em que elas são diferentes. Vocês se vêem numa delas, e não na outra? Uma é imóvel e a outra é um filme? Existe alguma diferença de cor, tamanho, luminosidade ou localização? Descubram o que há de diferente e tentem mudar a imagem desagradável para torná-la igual à que os faz rir. Se a engraçada está longe, coloque a outra longe também.

50

Se você se vir na que o faz rir, veja-se também na outra. A minha filosofia é a seguinte: por que esperar para sentir-se melhor? Por que não "se lembrar e rir" logo que está passando pela experiência? Se você está passando por uma experiência ruim, talvez pense que uma vez só basta. Mas o seu cérebro não pensa assim. Ele diz: "Ah, nada disso. Vou torturá-lo durante uns três ou quatro anos. *Depois* talvez você consiga rir disto".

Homem: Eu me vejo na lembrança engraçada. Sou um observador. Mas no que é desagradável sinto-me sem saída, como se tudo estivesse acontecendo de novo.

Essa é uma reação bastante comum. Acontece com o restante de vocês também? O fato de ser capaz de observar a si mesmo lhe dá a oportunidade de "rever" o que aconteceu de uma "perspectiva diferente" e vê-la sob um outro aspecto, como se estivesse acontecendo com outra pessoa. A única coisa que o impede de fazer isto imediatamente é não saber que é possível. Com mais prática, é possível fazê-lo enquanto estiver passando pela experiência.

Mulher: O que eu faço é diferente, mas funciona muito bem. Eu olho para uma parte da imagem através de um microscópio até que aquela parte fique tão grande que tome toda a tela. Neste caso, específico, tudo o que eu consegui ver eram lábios moles enormes pulsando e gritando enquanto a outra pessoa falava. Era tão grotesco que quase estourei de rir.

Este já é outro ponto de vista. E também é algo que pode ser facilmente experimentado quando se estiver vivendo a experiência pela primeira vez.

Mulher: Eu faço isto. Quando me encontro numa situação terrível presto atenção num ponto específico e em seguida rio do ridículo da situação.

Pensem agora em duas situações do passado, uma agradável e outra desagradável. Revejam a experiência da forma como a vivenciaram da primeira vez...

Em seguida, quero que verifiquem se estavam *associados* ou *dissociados* em cada uma das lembranças.

Associado quer dizer que ao reviver a situação a pessoa enxerga tudo como se estivesse lá. Ela verá as suas próprias mãos, mas não o rosto, a não ser que estivesse olhando-se em um espelho.

Dissociado significa reviver a experiência de outro ponto de vista que não o próprio. É como se a pessoa estivesse de longe, observando as coisas acontecerem ou como se fosse outra pessoa vendo um filme de si mesmo naquela situação etc.

Agora reveja cada uma das suas lembranças, separadamente, e descubra se estava associado ou dissociado em cada uma delas...

Qualquer que tenha sido a forma como se lembrou de cada uma das situações, tente lembrar-se delas do *jeito contrário* para descobrir de que maneira isto afeta a sua experiência. Se estava associado numa delas, veja-se dissociado. Se estava dissociado reviva a experiência estando associado. Observe de que forma esta mudança de perspectiva visual afeta a sua sensação em relação às lembranças...

Será que faz alguma diferença? Pode apostar que sim. Há alguém que não tenha notado a diferença?

Homem: Eu não notei grandes diferenças.

Está bem. Experimente o seguinte. Sinta a sensação de estar sentado num parque de diversões e vendo-se a si mesmo na primeira fila da montanha-russa. Veja o seu cabelo ao vento na primeira descida.

Agora, compare com a experiência de estar realmente sentado na primeira fila, segurando a barra, olhando para a primeira descida...

São diferentes? Verifique o seu pulso para sentir a diferença de estar na cadeira da montanha-russa olhando para os trilhos. É mais barato que uma xícara de café para conseguir ficar alerta.

Mulher: Em uma das minhas lembranças parece que estou tanto dentro quanto fora da experiência.

Bem, há duas possibilidades. Uma é que esteja indo e vindo rapidamente. Se for o caso, observe o que há de diferente ao passar de uma para outra. Talvez deva desacelerar o processo para fazê-lo bem.

A segunda possibilidade é que talvez você estivesse dissociada na experiência original. Por exemplo, estar sendo autocrítica pressupõe um ponto de vista diferente do seu. É como se estivesse fora de si mesma, observando-se e criticando-se. Neste caso, ao se lembrar da experiência e "vir o que viu na ocasião", também estará dissociada. Uma dessas duas explicações aplica-se ao seu caso?

Mulher: Ambas. Na época eu estava sendo autocrítica demais e acho que ficava me observando e me criticando, alternadamente.

Há uma terceira possibilidade, mas é bastante rara. Algumas pessoas criam uma imagem dissociada de si mesmas enquanto estão associadas na experiência original. Conheci um homem que carregava o tempo todo consigo um espelho de corpo inteiro. Assim, ele podia ver-se a si mesmo ao entrar numa sala. Outro tinha um pequeno monitor de televisão, que colocava numa estante ou pendurava na parede, para poder examinar a maneira como olhava para outras pessoas.

Ao se lembrar de algo, estando associado, estará tendo a mesma sensação que teve da primeira vez. Ao fazê-lo dissociado, estará vendo-se a si mesmo tendo reações, sem no entanto senti-las novamente.

Você pode, contudo, ter uma nova sensação *a respeito* da sua antiga sensação. Isto é o que acontece quando Virgínia Satir faz a seguinte pergunta: "O que sente em relação a estar zangado?". Experimente. Lembre-se de uma ocasião em que estava zangado e pergunte-se: "Como me sinto *em relação* a estar zangado?". Para poder responder a esta pergunta é preciso tomar distância da lembrança e criar uma nova sensação *a respeito* da lembrança, enquanto observador em vez de participante. É uma maneira muito eficiente de mudar a sua reação.

O ideal seria lembrar-se de todas as suas experiências agradáveis estando associado, para poder desfrutar de todas as emoções positivas que as acompanham. Ao se dissociar das suas lembranças desagradáveis, ainda terá toda a informação visual necessária para ajudá-lo a evitar ou lidar com a parte desagradável da experiência, sem sentir a sensação negativa. Por que se sentir mal novamente? Uma vez já não foi o suficiente?

Porém, muita gente faz o contrário. Associam-se em todas as experiências ruins, revivendo imediatamente tudo de desagradável que lhes aconteceu, e as experiências positivas são vistas de forma difusa, distante, com imagens dissociadas. Algumas outras pessoas dissociam sempre. Um exemplo seria o do tipo cientista ou engenheiro, descritos como pessoas "distantes", "objetivas" e "desligadas". É possível ensinar-lhes como ficarem associados quando o desejarem para que possam reconquistar um sentimento de ligação com a sua experiência. É claro que há ocasiões em que é interessante ficar associado. Ao se fazer amor, por exemplo, quando é muito mais agradável se a pessoa estiver dentro do seu corpo, sentindo todas aquelas sensações, em vez de se comportar como mero espectador.

Outras pessoas ficam o tempo todo associadas: sentem novamente todas as sensações, sejam elas positivas ou negativas. São pessoas descritas com freqüência como "teatrais", "impulsivas" e "suscetíveis". Grande parte dos seus problemas pode ser resolvida se aprenderem a se dissociar nos momentos apropriados. A dissociação pode ser útil no controle da dor, por exemplo. Ao se *observar* sentindo dor, não estará dentro do seu corpo para senti-la.

Será um grande favor que farão a si mesmos se dedicarem algum tempo a reverem algumas de suas experiências ruins *dissociadas*. Verifique a distância em que devem colocar a imagem para que ainda possam vê-la de forma clara o suficiente a fim de tirar o máximo de proveito possível dessa experiência, observando-a de uma maneira confortável. Depois, revejam algumas experiências agradáveis, associando-se a cada uma delas, e desfrutem-nas plenamente. Estarão desta forma ensinando ao seu cérebro a se *associar às lembranças agradáveis* e a se *dissociar das lembranças desagradáveis*. Logo, o seu cérebro assimilará o mecanismo e o utilizará automaticamente com todas as outras lembranças.

Uma das maneiras mais profundas e abrangentes de mudança da qualidade da experiência de alguém e o comportamento que dela resulta é através do aprendizado de como e quando associar e dissociar. A dissociação é particularmente útil quando se trata de lembranças profundamente desagradáveis.

Há alguém aqui que tenha uma fobia? Eu adoro fobias, mas elas são tão fáceis de serem curadas que estão desaparecendo do mercado. Vejam só. As únicas fóbicas daqui têm fobia de levantar as mãos.

Joan: Eu tenho uma.

Você tem uma fobia verdadeira e extravagante?

Joan: Bem, ela é bastante ruim. (Começa a respirar mais rápido e a tremer.)

Dá para notar.

Joan: Quer saber do que se trata?

Não. Sou um matemático. Trabalho somente com processos. De qualquer jeito não conheço a sua experiência interna, então por que falar sobre ela? Não é necessário falar sobre a experiência interna para mudá-la. Na realidade, se você contar esta experiência, o seu terapeuta terminará sendo um companheiro profissional. *Você* sabe que tipo de fobia tem. É alguma coisa que vê, ouve ou sente?

Joan: É algo que eu vejo.

Muito bem. Vou lhe pedir para fazer algumas coisas na sua cabeça, bastante rápidas, para que nunca mais a sua fobia a incomode. Darei uma instrução de cada vez, e você irá para dentro de si mesma para fazer o que eu disse, fazendo um sinal com a cabeça quando tiver acabado.

Primeiro quero que você se imagine sentada dentro de um cinema, na fileira do meio e olhando para a tela, vendo um instantâneo em preto e branco um segundo *antes* de ter a reação fóbica...

Agora quero que saia do seu corpo e passe à cabine de projeção, de onde poderá se observar vendo a sua própria imagem na tela. De onde você está poderá se ver sentada na fileira do meio, e também na tela...

Faça com que o instantâneo se transforme em um filme em preto e branco e assista-o do princípio até logo depois da experiência desagradável. Ao chegar ao final, imobilize-o como se fosse um diapositivo, entre *dentro* do filme e repasse-o de trás para frente. Todas as pessoas do filme devem andar de trás para frente, como se o filme estivesse sendo rebobinado, com a ressalva de que você se encontra *dentro* do filme. Passe o filme de trás para frente em cores e com uma duração máxima de um a dois segundos...

Agora pense no que causaria a reação fóbica. Observe o que veria se estivesse realmente lá...

Joan: Não me incomoda mais agora... Mas tenho medo de que não funcione da próxima vez que a situação acontecer.

Há algo aqui por perto que provoque esta reação, para que você possa fazer um teste?

Joan: Sim, são os elevadores.

Ótimo. Vamos fazer uma pausa. Vá fazer um teste e, depois do intervalo, conte-nos o que aconteceu. Se houver alguém que não acredite, pode acompanhá-la a fazer todas as perguntas que desejar... (Informações referentes a fitas de vídeo sobre cura de fobia, ver Apêndices II, III e IV.)

Então, como foi, Joan?

Joan: Ótimo. Sabe, eu nunca tinha reparado de verdade no interior de um elevador. De manhã, quando vim para cá, não conseguia nem tomar o elevador, de tão apavorada, mas agora subi e desci várias vezes.

Isto é típico. Uma vez, porém, comecei a ficar preocupado. Estava dando um seminário em Atlanta, no Peachtree Plaza, edifício de 70 andares com um elevador externo. A única coisa que precisava fazer era descobrir alguém com fobia de elevador. Curei uma senhora e disse-lhe para sair e fazer uma experiência. Cerca de meia hora depois comecei a pensar: "Ih, quem sabe se ela está no último andar e não consegue descer". Quinze minutos mais tarde, ela chegou toda faceira e perguntei onde estivera. "Ah, fiquei subindo e descendo. Uma verdadeira delícia."

Um contador consultou-me certa vez a propósito de uma fobia de falar em público, da qual tentava livrar-se há 15 anos. Uma das primeiras coisas que me disse foi ter gastado 70.000 dólares até aquele momento tentando livrar-se daquele problema. Perguntei-lhe como sabia o quanto tinha gastado e ele mostrou-me o canhoto dos cheques. Eu disse: "E o *seu* tempo?". Abriu os olhos e disse: "Eu não contei!". Como a sua hora custava tanto quanto a do psiquiatra, na realidade ele havia investido cerca de 140.000 dólares tentando curar algo que me tomou apenas 10 minutos.

Se uma pessoa que fica apavorada ao entrar em um elevador pode aprender a reagir de outra maneira, é possível mudar-se qualquer tipo de comportamento, se levarmos em consideração que o pavor é um comportamento muito resistente. O medo é muito interessante. As pessoas fogem dele. Se dissermos a alguém para olhar para algo do qual tem pavor, ela não o conseguirá. Mas se dissermos para *ver-se a si mesma* olhando para o que lhe causa medo, ela ainda estará olhando para o objeto em questão, mas, por alguma razão, conseguirá fazê-lo. É a mesma diferença entre sentar na primeira fila da montanha-russa e sentar em um banco olhando para si mesmo sentado na cadeira da montanha-russa. E isto basta, para que seja possível modificar-se uma reação. Isto pode ser usado com vítimas de estupro, abuso sexual de crianças e neuroses de guerra: "a síndrome pós-traumática do estresse".

Há alguns anos, eu levava uma hora para curar uma fobia. Quando aprendemos um pouco mais sobre o funcionamento da fobia, anunciamos a cura rápida da fobia em 10 minutos. Consegui reduzir este tempo para apenas alguns minutos. Muita gente acha pouco provável curar tão rápido uma fobia. É engraçado, porque *não consigo* levar mais tempo. Posso curar uma fobia em dois minutos, mas não em um mês, porque não é assim que o cérebro funciona. O cérebro aprende fazendo os padrões moverem-se rapidamente. Imaginem se vissem apenas cada uma das imagens de um filme por dia, durante cinco anos. Será que iriam entender o filme? Só conseguimos compreender o filme se as imagens passarem na velocidade adequada. Tentar fazer mudanças lentamente é como conversar dizendo apenas uma palavra por dia.

Homem: E o treino? Ao operar uma mudança como a de Joan, é preciso que ela treine?

Não. Ela já mudou e não será necessário que ela treine ou pense sobre o fato, conscientemente. Se o trabalho de mudança for árduo, ou exigir muito treino, então é porque está sendo malfeito e é preciso mudar o que está sendo feito. Se não há nenhum empecilho, os recursos estarão sendo adicionados uns aos outros e uma única vez será suficiente. Quando Joan tomou o elevador, durante o intervalo, ela não precisou tentar não ficar apavorada. Ela já havia mudado, e esta nova reação será tão forte quanto o foi a anterior.

Uma coisa interessante sobre as pessoas fóbicas é que elas já demonstraram aprender rápido. São pessoas que podem aprender algo totalmente insignificante de forma instantânea. Muita gente encara a fobia como um problema em vez de uma façanha. Eles nunca param para pensar que "se alguém pode aprender isto, pode aprender a fazer qualquer coisa".

Sempre achei incrível que alguém pudesse aprender a ficar apavorado de forma tão consistente e confiável. Eu pensei há alguns anos: "Eis o tipo de mudança que quero ser capaz de fazer". E então pensei: "Como poderia *tornar* alguém fóbico?''. Deduzi que se não fosse capaz de tornar alguém fóbico, não conseguiria ser metódico o suficiente para curá-lo.

Se partirmos do princípio de que as fobias só podem ser ruins, nunca nos ocorreria tal possibilidade. Podemos tornar reações agradáveis em algo tão forte e confiável quanto fobias. Existem ocasiões em que sempre nos alegramos — ao estarmos em contacto com um recém-nascido ou com crianças bem pequenas. Se não acreditam, façam o seguinte. Descubram a pessoa mais mal-encarada que conheçam, coloquem um bebê nos seus braços e façam-no andar dentro de um supermercado. Sigam-no e observem a reação das outras pessoas.

Quero chamar a atenção de vocês para algo: a cura da fobia elimina os sentimentos e isto inclui também os sentimentos positivos. Se este procedimento for usado indevidamente, podemos transformarmo-nos em robôs! Ao se divorciarem, os casais fazem isto naturalmente. Olhamos para a pessoa por quem fomos tão profundamente apaixonadas e não sentimos absolutamente nada. Ao nos lembrarmos dos momentos agradáveis, estaremos vendo a nós mesmos nos divertindo, mas as sensações agradáveis terão desaparecido. Se fizermos isto ainda casados, teremos grandes problemas.

Uma coisa é revermos todas as experiências que tivemos com aquele pessoa — sejam elas agradáveis ou não — e decidirmos que queremos terminar o relacionamento e ir embora. Mas se nos dissociarmos de todos os bons momentos que tivemos juntos, estaremos jogando fora um conjunto de experiências bastante valiosas. Mesmo que não queiram mais viver juntos, porque um dos dois, ou os dois, mudou, podem ao menos desfrutar das lembranças agradáveis.

Algumas pessoas decidem dissociar-se de todas as boas lembranças para "não se machucarem mais". Se fizerem isto, serão incapazes de gozar até mesmo os bons momentos da existência. É como se ficássemos olhando os outros divertirem, sem participar. Se fizerem isto com *todas* as suas experiências, estarão transformando-se em existencialistas — o típico observador que não se envolve com nada.

Há quem aprende uma técnica e decide aplicá-la em tudo. Só porque um martelo é usado para bater pregos não significa que tudo deva ser martelado. A técnica de cura de fobia é eficaz como neutralizante de reações profundas dos sentimentos — sejam eles positivos ou negativos — portanto tenham cuidado ao usá-lo.

Querem saber de uma maneira boa de se apaixonar? Lembrem-se de todas as experiências agradáveis estando associados e dissociem-se ao pensarem em todas as negativas. O resultado é ótimo. Se conseguirem não pensar em nenhuma experiência negativa é possível se apaixonarem por alguém que faz um monte de coisas de que não gostem. Em geral é isto que acontece e depois as pessoas casam-se. Uma vez casados, o processo pode ser invertido, associando-se ao lembrarem do que é negativo, e dissociando-se das coisas desagradáveis. A partir de então as pessoas reagem às coisas desagradáveis e perguntam-se por que o outro "mudou". Não houve mudança na pessoa e sim na sua maneira de *pensar*.

Mulher: Há outras maneiras de se curar fobias? Morro de medo de cães.

Sempre há outras maneiras; é só uma questão de: "Já as conhecemos?", "São tão confiáveis?", "Quanto tempo leva?", "Que mais isto vai afetar?", e assim por diante.

Tente o seguinte: lembre-se de algo prazeroso, excitante e engraçado e veja o que observou na ocasião. Já se lembrou?... (Ela sorri.) Ótimo. Aumente um pouco a luminosidade. (Ela sorri ainda mais.) Muito bem. Agora, mantenha esta imagem e faça com que um cachorro chegue e integre-se à imagem. Ao fazer isto, intensifique a luminosidade...

Agora, imagine-se na mesma sala com um cão e veja se ainda tem a fobia...

Mulher: Sinto-me à vontade ao pensar nisto.

Este procedimento é uma variação de outro método que será ensinado mais tarde. Não é tão seguro quanto a dissociação, no caso de fobias muito intensas, mas funciona em geral. Já curei tantas fobias que as acho bastante enfadonhas, por isso uso o método mais rápido e seguro que conheço. Agora que já o conhecem, podem utilizá-lo também. Se quiserem entender de verdade como funciona o cérebro de uma pessoa, da próxima vez que tiverem um cliente fóbico, faça-o mais devagar. Faça uma série de perguntas para descobrir como funciona esta fobia em particular. Por exemplo, às vezes a pessoa com fobia de cães vê uma imagem de cachorro, ou o que quer que seja, muito grande, ou luminosa, ou colorida, ou passa lentamente o filme, ou o repete indefinidamente. Depois, experimente mudar várias coisas para descobrir como modificar a experiência desta pessoa em particular. E, se ficar cansado, poderá sempre tirar do bolso a cura rápida da fobia e livrar-se dela em cinco minutos. Se fizerem este tipo de experiências estarão começando a *gerar* a PNL e não precisarão mais pagar para participarem de seminários deste tipo.

IV

DESACERTOS

Certa vez perguntei a um amigo meu: "Qual foi o maior fracasso da sua vida?''. Ele respondeu: "Dentro de duas semanas tenho que fazer uma coisa e sei que não vai dar certo". Sabem da maior? Ele estava certo! Foi o maior fracasso da vida dele — não porque não tenha dado certo, mas, sim, porque ele perdeu tempo sofrendo antes do tempo. Muita gente usa a imaginação para descobrir todas as coisas que os fariam sofrer, para poder sofrer *agora*. Para que esperar?

Por que esperar até que o seu marido tenha um caso extraconjugal? Imagine-o tendo um caso agora; imagine-o divertindo-se com outra pessoa. Sinta se desenvolver um ciúme doentio. Quantos aqui já fizeram isto?

E depois, se estiver sentindo-se muito mal quando ele chegar em casa, poderá gritar com ele à vontade e afastá-lo de você, para que ele realmente queira ter outra pessoa. Já tive clientes que me contaram que faziam exatamente isto. Então, eu perguntava: "Por que não criar imagens positivas?''. "O que você quer dizer?'' "Modifique a imagem, para que consiga ver *você mesma*, com seu marido, no lugar da mulher imaginária. Depois, entre na imagem criada, e desfrute as sensações agradáveis. Assim, quando ele chegar em casa, faça com que ele queira fazer tudo aquilo de bom com *você*.'' Não é melhor assim?

Com freqüência as pessoas falam sobre lembranças "boas" e "ruins". Na verdade, isto quer dizer que as pessoas gostam ou não delas. Muita gente gostaria de ter apenas boas recordações e acham que seriam muito mais felizes se eliminassem todas as ruins. Mas, imaginem o que seria a vida se todas as más recordações fossem eliminadas de vez! Já imaginaram alguém cujas recordações eram maravilhosas o tempo todo? Esta pessoa seria totalmente incapaz de encarar e resolver problemas. Aliás, temos alguns exemplos de pessoas assim no nosso país.

Tive um cliente de 24 anos que tomava Valium desde os 12. As únicas vezes que saía de casa era para ir ao dentista, ao médico e ao psiquiatra. Ele já tinha tido cinco psiquiatras, mas até onde eu podia deduzir, o seu único problema era o de não ter saído de casa durante 12 anos. Bem, *agora* os seus pais queriam que ele se tornasse independente. O pai era proprietário de uma construtora e se queixou comigo que "já é hora de esse menino crescer". E eu pensei: "Seu idiota, está doze anos atrasado. O que é que vai fazer agora, passar-lhe a direção da sua empresa, para que ele possa sustentar você?". Com certeza a empresa só sobreviveria dois dias.

Como este menino tinha tomado Valium durante 12 anos, não tinha grandes experiências — até que eles o mandaram para mim! Eu fiz com que ele fosse a mil lugares diferentes e fizesse as coisas mais esquisitas — se ele não fizesse eu lhe daria uma surra. Quando ele hesitou a primeira vez, dizendo que não conseguiria fazer algo, eu lhe bati com força; não aconselho que isto seja feito com todo mundo. Mas, às vezes, um bom piparote na cabeça é o começo de uma estratégia de motivação. Alguns talvez se lembrem de como isto funcionava nos seus tempo de adolescência. Eu o coloquei em várias situações em que ele tinha que enfrentar vários tipos de dificuldades e lidar com outras pessoas. Ele teve uma base experimental para viver a vida sem ajuda da sua casa, medicamentos ou psiquiatras. As experiências que eu lhe forneci foram mais úteis e importantes do que ficar conversando com um psiquiatra sobre a sua infância.

Quando uma pessoa diz "não consigo fazer"* não está se dando conta do significado dessas palavras. "Não consigo" quer dizer "consigo" — sou capaz de — "não fazer", o que é sem dúvida verdadeiro. Se pararmos para prestar atenção às palavras que as pessoas dizem, começaremos a ouvir coisas que nos indicam o que deve ser feito.

Trabalhei com uma mulher que queria abrir uma clínica de timidez e flerte. Ela encaminhou-me umas pessoas que eram tímidas. Sempre achei que as pessoas sentiam-se tímidas porque ficavam pensando nas coisas desagradáveis que poderiam acontecer — rejeição ou chacota. Comecei a fazer as minhas perguntas usuais: "Como é

---

* Em inglês — *can't* — não consigo, são as palavras *can not,* que literalmente significam "posso não". (N. T.)

que você sabe que é hora de se sentir tímido? Você não é tímido o tempo todo". Como tudo o que as pessoas fazem, a timidez exige um processo específico e não é uma tarefa fácil. Um homem respondeu: "Sei que é hora de ficar tímido quando sei que vou encontrar pessoas que não conheço". "E o que faz com que fique tímido?" "Não acho que eles vão gostar de mim." Esta declaração é muito diferente de "Acho que eles não vão gostar de mim". Ele disse literalmente "Eu não" me comprometo a não (achar que...) — "acho que eles vão gostar de mim". Ele pode achar qualquer *outra coisa*, exceto que as pessoas vão gostar dele. Na sala ao lado havia um grupo de pessoas, então eu disse a ele: "Quero que você ache que eles vão gostar de você". "Está bem." "Você sente-se tímido em relação a elas?" "Não." Parece fácil demais, mas, basicamente, *o que funciona é sempre fácil.*

Infelizmente, no campo da psicologia, não existe muito incentivo para descobrir o que funciona rápido e facilmente. Na maioria dos negócios as pessoas são pagas pelo que conseguem fazer. Mas em psicologia os profissionais são pagos à hora, quer tenham sucesso ou não. Se um terapeuta for incompetente, ele ainda recebe *mais* do que aquele que consegue atingir rapidamente o resultado desejado. Muitos terapeutas têm uma regra contra a eficiência. Eles acham que estão sendo manipuladores se influenciarem alguém diretamente, e que é ruim manipular alguém. É como se eles dissessem: "Você está me pagando para influenciar você. Mas não vou fazer isto porque não é certo". Quando eu ainda recebia clientes, sempre cobrava pela *mudança*, em vez de pela hora; só era pago quando obtinha resultados. Isto me parecia um desafio maior.

As razões usadas pelos terapeutas como justificativas dos seus erros são insultantes. Com freqüência eles dirão que "a pessoa não estava preparada para mudar". É uma desculpa "furada", se é que podemos chamar isto de desculpa. Como é que se justifica que uma pessoa continue a pagar semanalmente uma consulta para mudar algo para o qual ela não está "preparada" ainda? É melhor dizer-lhe que vá para casa e volte apenas quando estiver "preparada"! Sempre achei que se a pessoa não "estivesse preparada para mudar", era minha tarefa *torná-la* preparada.

Se vocês levassem o carro ao mecânico e ele, após duas semanas, o devolvesse dizendo que "o carro não estava preparado para ser consertado", com certeza vocês não engoliriam esta desculpa, não é? Mas os terapeutas se saem com essa diariamente.

Outra desculpa comum é que o cliente está "resistindo". Imagine que o seu mecânico lhes dissesse que o carro está "resistindo".

"O seu carro ainda não está suficientemente maduro para aceitar a troca de válvulas. Traga-o de volta na semana que vem e veremos o que pode ser feito." Tenho certeza de que não aceitariam este tipo de desculpa. Ou bem o mecânico não sabe o que está fazendo, ou bem o conserto que ele quer fazer é irrelevante para o problema em questão ou então ele está usando as ferramentas erradas. O mesmo aplica-se às mudanças terapêuticas ou educacionais. Os bons profissionais do ramo da terapia ou da educação podem *fazer com que* a pessoa fique "preparada para mudar", e se estiverem fazendo o que é certo não haverá resistência.

Infelizmente, os seres humanos têm, em geral, uma tendência perversa. Se fazem algo que não funciona, continuam a tentar mais ainda e com mais freqüência. Quando uma criança não entende o que os pais lhe dizem, em geral eles vão gritar a mesma frase sem cessar, em vez de tentar usar outras palavras. E se a punição não fez o comportamento mudar, a conclusão habitual é que não foi suficiente e que é necessário mais ainda.

Sempre achei que se algo não estivesse dando certo era uma indicação de que chegara o momento de fazer algo diferente! Se algo não estiver funcionando, então há possibilidades de que *outra coisa* possa funcionar, em vez de simplesmente insistir no ponto inicial.

Os leigos também têm desculpas bastante interessantes. Já as coleciono há algum tempo. Antes as pessoas costumavam dizer: "Perdi o controle de mim mesmo", ou "Não sei o que me deu". Provavelmente, um espírito fez o trabalho. Nos anos 60 as pessoas que freqüentavam terapias de grupo aprenderam a dizer: "Não consigo me impedir, é assim que eu me sinto". Se alguém disser: "Eu senti vontade de jogar uma bomba na sala", ninguém aceita. Agora, se alguém diz: "Não posso aceitar o que você está dizendo, tenho que gritar com você e fazê-lo sentir-se mal. É assim que eu me sinto", as pessoas aceitam sem pestanejar.

A desculpa favorita atualmente é: "Eu estava fora de mim". É possível se safar de qualquer coisa com esta desculpa. É um tipo de defesa de caso de insanidade mental ou de múltipla personalidade. "Eu estava fora de mim... deve ter sido *a outra* então!"

Todas essas desculpas são formas de continuar e justificar a infelicidade, em vez de se tentar outras coisas que possam tornar a vida mais prazerosa e interessante para você — e para outras pessoas também.

Agora é o momento de fazer uma demonstração. Quero que alguém me dê um exemplo de uma experiência realmente desagradável.

Jo: Sempre fico ansiosa quando tenho de enfrentar alguém. Quando sou ofendida e quero ser tratada de outra maneira, eu enfrento a pessoa.

Você acha que é uma experiência negativa?

Jo: Sim. E não. Em geral, no fim ela se transforma numa experiência positiva. Talvez no início eu me sinta desconfortável, mas à medida que continuo, passo a sentir-me mais confortável.

E isto é útil?

Jo: Eu aprendo mais quando enfrento essas situações. Cada vez que eu consigo, torno-me mais confiante para enfrentar outras pessoas em outras ocasiões. Não me parece que estarei enfrentando alguém, apenas que vou conversar com ele.

Bom, agora pense no que vou dizer. Se tivesse que enfrentar alguém, você esperaria que fosse desagradável?

Jo: Um pouco. Não tanto quanto antes.

Eu lhe peço para pensar nisto agora.

Jo: Hum, um pouco.

Pare por um instante e reflita. Pense em alguém com quem seria *muito* difícil discutir sobre algo. Pense nisso e descubra se, ao esperar que seja desagradável, você conseguiria sair-se bem.

Jo: Você seria uma pessoa com quem seria muito difícil discutir.

Eu seria simplesmente *mortal*. O que a levaria a discutir com alguém?

Jo: Se eu sentisse que a minha integridade tivesse sido lesada.

"Integridade lesada." Eu consertei a minha.

Jo: Ou então se eu fosse insultada. Às vezes, quando as minhas opiniões não são levadas em consideração...

Por que é que você tem de discutir com alguém?

Jo: Eu não sei.

O que aconteceria se o fizesse? Que bem isto lhe faz? Isto salvaria a sua integridade?

Jo: Eu estaria me protegendo, sendo adulta e me preservando.

De quê...? O que estou perguntando é o seguinte: "Qual é a função deste comportamento?" Às vezes, enfrentar alguém pode significar a morte — mesmo que o objeto da discussão seja um pedaço de pão. Eu aprendi isto onde cresci. Muita gente *não* foi criada neste tipo de lugar e, se tiverem muita sorte, não descobrirão este tipo de coisa na prática.

Qual é o significado de se enfrentar alguém? Existe alguma outra função além de lhe dar sensações diferentes das que sente quando alguém "lesa a sua integridade" ao atormentar as suas idéias? Você tem de enfrentar as pessoas *sempre*? Você faz isto com todo mundo?

Jo: Não.

Como sabe quem deve enfrentar, para sentir-se melhor?

Jo: As pessoas em quem tenho uma certa confiança, pois sei que não me farão mal.

É uma boa escolha. Mas você só as enfrenta quando elas a ofendem ou às suas idéias.

Jo: É a única ocasião em que as enfrento. Há muitas outras ocasiões em que discuto sobre coisas diferentes com essas pessoas, mas é a única ocasião em que as enfrento de verdade.

O que faz com que seja importante enfrentá-las naquele momento?... Espere um pouco, vou reformular a pergunta. Se alguém faz pouco caso das suas opiniões, isto quer dizer que eles não as entenderam ou que não as aceitaram?

Jo: Não é bem assim. Se alguém não entende a minha opinião ou discorda dela, não há nenhum problema. Mas se a pessoa me disser que "É uma droga" ou algo parecido, aí sim. Vai depender da situação e da pessoa.

Bem, claro, depende da situação, e isto é muito importante. Eu não estou desvalorizando o confronto em si. O que eu quero saber é: "Como você sabe que é o momento de iniciar o confronto?" e "Como é que este processo funciona?" Você mataria alguém para defender a sua integridade?

Jo: Não.

Mas há muita gente que o faria. Talvez elas devessem aprender o que você faz. Mas eu ainda nem sei o que significa para você "entrar em confronto" com alguém. Não sei se você grita ou berra, ou põe o dedo no nariz da pessoa, ou se corta as orelhas da pessoa ou se passa por cima dela com um caminhão. Estou partindo do princípio de que você confronta alguém verbalmente.

Jo: É verdade.

Não sei como fica o volume da sua voz e outros detalhes. Qual é a diferença entre uma "discussão" e um "confronto"? Quantos aqui achavam que sabiam?... ou que não sabiam?... ou acham que estou só conversando com ela?

Jo: Existe uma espécie de urgência ao se confrontar com alguém. Eu quero que as pessoas saibam como me sinto em relação a algo. Quero que elas saibam como eu percebi a maneira como as minhas idéias foram recebidas ou rejeitadas.

Bem, e o que torna isto urgente? O que aconteceria se você não conseguisse fazê-las entender?... Quero fazer ainda outra pergunta. Elas entendem o que você quis dizer e são contra ou elas não entendem o que você quis dizer e por isso são contra?...

Jo: Fico agradecida com o que você está fazendo comigo. Acho que acabou de me mostrar uma perspectiva diferente. Não foi?

Não sei. Dê-me uma dica.

Jo: Eu acho que sim. Bom... hum... parece diferente agora. Não me parece mais uma questão de rejeição, é como se as pessoas estivessem tentando me dizer algo diferente...

Não sei. Ainda nem descobri com o que estamos lidando agora. Não é hora de mudar ainda, é cedo demais. Como é que alguma coisa poderia ser modificada com tanta rapidez, apenas com palavras, quando ainda nem descobri do que se trata?... Faz alguma diferença?

Jo: Não, mas mudou. Mudou mesmo. Não faz diferença o que você me disse ou como o disse ou se você sabia sobre o que eu estava falando. Alguma coisa que você disse fez diferença. De alguma maneira, eu não sinto vontade de confrontar ninguém.

Mas que coisa surpreendente.

Jo: O que eu quero dizer é que não vou mais perder meu tempo discutindo sobre o que falava antes.

Ah, com certeza existem outras coisas sobre as quais você poderá discutir. Ótimo, você pode escolher ao acaso! Aliás, é o que eu faço. Dessa maneira não precisará preocupar-se se dá certo ou não.

Jo: Bem, se me sentisse roubada numa conta, ou coisa assim, eu discutiria.

Será que esta seria uma forma de ser bem servida num restaurante?

Jo: É uma maneira de ser bem servida em vários lugares.

Queria perguntar mais uma coisa a você. Não pense que estou sendo implicante. É que você é um bom exemplo para que eu possa atingir o inconsciente das outras pessoas. Já lhe passou pela cabeça que é melhor fazer com que os empregados de um restaurante sintam-se tão *bem*, *antes* de lhe servir, que não tenham outra saída, senão servir-lhe bem...?

Jo: Não estou entendendo... Parece um pouco confuso.

Acho engraçado que quando as pessoas vão a um restaurante esperam ser servidas por outra pessoa, mas não a tratam como tal. Como eu já fui garçom, sei que a maioria das pessoas tratam os garçons de maneira muito estranha. Algumas entram e fazem os garçons sentirem-se bem e eles querem passar mais tempo em sua companhia — independente de quanto deixam de gorjeta. É sempre mais agradável ficar na companhia de alguém que nos trata bem do que de quem nos trata mal — e até mesmo nos ignora.

Alguém já ignorou deliberadamente uma criança? Elas são capazes de "pirar". Agora, imagine que você é um garçom e que esteja servindo uma sala cheia de gente que não dá a mínima para você. De repente, alguém trata você como ser humano e isto o faz sentir-se bem. Quem você serviria melhor? Uma maneira de ser bem servido em um restaurante é tratar bem o garçom *primeiro* para que ele venha a *querer* tratar você bem.

Outra opção é maltratá-lo, fazendo-o sentir-se mal o suficiente para lhe dar o que queria e esperava receber, sem ter que se dar o trabalho de ser desagradável. Se agir dessa forma, não só terá que pagar a sua conta, como também a sua auto-estima ficará abalada. Nem todo mundo raciocina assim. Por que ser gentil com um garçom? Servir bem deveria ser obrigatório.

O casamento muitas vezes é encarado dessa forma. "Você deveria saber." "Não acho que tenha que lhe pedir nada. Ele tem que adivinhar o que eu quero." E se ele não o fizer, isto quer dizer que chegou a hora de ficar zangada e forçá-lo a fazer o que deseja. E caso saia vencedora, o que ganhou? Um pouco mais de auto-estima?

Homem: Uma boa ocasião para o marido ficar zangado.

Já fiz com que muita gente fizesse isso comigo. Decidi ficar zangado *antes mesmo* que houvesse motivo para tal! Quanta gente fica "zangada" quando se faz alguma delicadeza com elas? Não estou falando em o que significa ser delicado ou indelicado. O que quero saber é: "Vocês já pensaram em ser delicados antes mesmo que houvesse motivo para tal?.

Mulher: Sim, a estratégia que eu adoto num restaurante é perguntar ao garçom o que ele me aconselha e quando ele me faz uma sugestão, peço-lhe que se certifique de que será realmente bom e que o bife não seja pequeno demais. Pergunto como se chama e dirijo-me a ele pelo nome.

É verdade, você realmente tenta ser delicada. Como tudo na vida, nem sempre funciona. Mas quantos aqui já *pensaram* em fazer isto quando algo não estava indo bem, ou *antes* mesmo? Por que é que um garçom iria querer servir mal de propósito, quando ganham a vida com gorjetas? Já parou para pensar nisto, Jo?

Jo: Já, sim.

E você tratou-os bem?

Jo: Eu tentei, mas não consegui ser tão agradável quanto gostaria. Não consigo ser delicada quando estou zangada de verdade. Não fui capaz de mudar a minha maneira de agir.

Vocês não acham que ela deveria ter "agido de maneira delicada, antes de mais nada"? Dessa maneira não precisaria nem sentir dificuldades em mudar a sua maneira de agir depois, certo?

Jo: Era assim que eu me sentia antes. Agora parece que as coisas mudaram.

Vamos voltar ao início. Quando nós começamos a conversar, Jo queria aprender a ser mais desagradável. Se vocês tivessem realmente escutado o que ela estava dizendo, se dariam conta que era: "Quero ser capaz de me defender e ser mais agressiva". Mas ninguém ouviu isso. Se tivessem ouvido, talvez tivessem tentado ensinar a ela como ser mais desagradável. Agora, imaginem o que faria com ela um instrutor de cursos para tornar as pessoas mais "assertivas"! Sabem, eu chamo esse tipo de cursos de "preparação para a solidão".

Mas, o que eu faço são *perguntas para descobrir a estrutura das limitações das pessoas.* Se eu conseguir aprender como ela funciona, então posso fazer as mudanças que eu quiser, e ela passará a funcionar de maneira diferente. Não se pode fazer um julgamento válido sobre qualquer tipo de processo a não ser que se saiba como funciona, e isto só é possível se o experimentarmos.

Assim, eu pensei: "Bem, Jo não consegue ser mais agressiva. Onde é que ela não consegue, para eu poder aprender a não o fazer lá?". Comecei a lhe fazer várias perguntas: "Quando é que você consegue?", "Qual é o seu objetivo?", "Com quem consegue?". Minhas perguntas fazem-na retroceder no tempo. A partir do problema, eu refiz os passos do processo. Quando ela retroceder o suficiente, ele chegou ao ponto *anterior* à sua explosão de agressividade e *antes* mesmo de sentir vontade de explodir. *Este* é o ponto no qual ela pode tomar *outra* direção. Se ela seguir em frente, o "problema" começa a surgir. Mas se ela der um passo para o lado, por exemplo, poderá ir em outra direção, se preferir.

Jo vai a um restaurante, senta-se, é mal servida, sente-se mal, discute com o garçom, é bem servida, mas ainda sente-se mal. Eu perguntei: "Você já pensou em chegar no restaurante, descobrir quem vai servi-la para poder fazê-lo sentir-se bem?". Ela respondeu: "Não consigo fazer isto depois que fico chateada", e talvez tenha razão. Bem, e por que não faz o que eu sugeri ao entrar no restaurante, para evitar ficar zangada? Esta pergunta dirige a sua atenção para o momento imediatamente anterior, quando é mais fácil fazer algo diferente e também lhe dá uma chance bem específica de fazer algo diferente.

Vou dar exemplo. Você chega do trabalho, e está contente. Ao abrir a porta descobre que a sala está na maior bagunça ou que alguém esqueceu de tirar o lixo ou então que algo que considera essencial para a sua felicidade está fora do lugar. Você começa a sentir-se zangado e frustrado. Você recalca o que está sentindo e tenta não se sentir assim, mas não consegue. Começa a fazer uma terapia e diz: "Não quero gritar com a minha mulher", "Por que você grita com a sua mulher?". "Porque fico frustrado e zangado." Muitos terapeutas dirão: "Exteriorize os seus sentimentos, grite e berre com a sua mulher". E diriam à sua mulher: "Não acha certo que ele grite com você? Não acha que ele deve ser ele mesmo?". Você faz a sua parte e ele a dele... separadamente. Isto é loucura.

O que a maioria dos terapeutas deixa de notar é que quando ele entra em casa e vê toda a bagunça, ele *primeiro* fica zangado e frustrado, para *depois* tentar se impedir de se sentir assim. Eles também esquecem de notar que ele está tentando tornar as coisas mais agradáveis para ele. Bom, por que não ir diretamente ao ponto? Por que não fazer com que a porta da frente desperte nele pensamentos agradáveis sobre o que pode fazer com a sua esposa, de maneira que ele passe pela sala sem nem mesmo prestar atenção em qualquer outra coisa!

Sempre que eu digo "Por que não tomar uma atitude *antes* de se sentir mal?", o cliente parece sempre surpreso. Simplesmente não lhe ocorre retroceder. Ele acha que a única maneira de ser feliz é fazer o que ele quer exatamente na hora em que quer. Será que esta é a única maneira? Talvez seja. O mundo não volta atrás. A luz não volta atrás. Mas a nossa mente *pode* voltar atrás.

De modo geral, ou os clientes não entendem o que quero dizer ou respondem: "Não vou conseguir fazer isto!". Parece fácil demais.

Assim cheguei à conclusão que tinha de convencê-los. Eles não conseguiam retroceder, porque não conseguiam parar de continuar a seguir em frente. Então, aprendi a fazer perguntas que os forçassem a retroceder. Com freqüência, eles lutavam com unhas e dentes. Tentam responder uma pergunta e eu insisto que respondam a outra para que retrocedam mais um passo.

Ao chegar a um ponto específico com um cliente, faço uma pergunta que o faz mover-se para os lados e para a frente e ele toma uma nova direção. Depois disso, a única opção que tem é a de continuar naquela direção. Ele sente-se tão sem saída quanto antes, mas não se importa porque é mais agradável. É como uma mola, podemos segurá-la, mas quando a soltamos ela pula de novo.

Assim que alguém encontra um desses pontos diz: "Ah, eu mudei. Vamos continuar". É tão trivial. "Como você sabe que mudou?" "Eu não sei. Não tem importância. Agora está diferente e pronto." Mas Jo ainda está indo em frente, no novo caminho. Eu tenho testado sem cessar. E agora ela não pode voltar atrás, porque é tarde demais.

O que eu faço é pressupor que o que a está impulsionando é válido e tudo o que preciso saber é onde usá-lo. Então eu tomo o comportamento que incomoda Jo — discutir — e levo-o para antes do ponto em que ela começaria a pensar em demonstrá-lo. As mesmas forças que a impeliam a discutir, fazendo-a sentir-se mal depois, agora a impelem a adotar outro comportamento.

O que nós examinamos com Jo é um padrão comum de casamento. Você quer algo e ele não lhe dá. E você fica chateada. Depois você diz a ele o quanto você está chateada, esperando que ele fique preocupado e lhe dê o que está pedindo.

Às vezes não conseguimos o que queremos de outras pessoas. Mas quando não conseguimos o que queremos, o *sentimento desagradável está sobrando*! Já pensaram nisso? Primeiro, não conseguimos o que queremos, aí sentimo-nos mal durante muito tempo, por causa disto. Depois é necessário sentir-se mal para tentar conseguir de novo. Se você está bem, a única coisa que precisa fazer é pedir: "Ei! Você quer fazer isto por mim?". Se o seu tom de voz for bastante alegre, terá muito mais chance de consegui-lo, sem problemas no futuro.

O maior erro que as pessoas cometem é depender do comportamento de outras pessoas para sentirem-se bem. "Para eu me sentir bem, você tem de se comportar da maneira que eu quiser, ou então vou me sentir mal e fazer você também sentir-se mal." Dessa maneira, se a pessoa não estiver presente para se comportar da forma como você quer, não haverá ninguém para fazê-lo sentir-se bem. Aí você vai sentir-se mal. Ao ver a pessoa, você lhe diz: "Como você não estava presente para fazer o que eu queria a fim de que eu pudesse sentir-me bem, quero que você se sinta mal agora. Quero que você esteja presente *o tempo todo*. Não quero mais que vá jogar o boliche, nem que vá passar o fim de semana fora, nem que freqüente a faculdade, nem seminários, quero que esteja aqui o tempo todo. *Eu* posso sair porque me divirto, mas quando chego em casa, quero que você esteja lá para eu me sentir bem. Se você me ama fará o que eu pedir; se não, vou me sentir mal, porque eu o amo". Estranho, vocês não acham? Mas é assim que funciona. De certa maneira, é verdade. Você fica sozinha e sente-se mal. "Se ele estivesse aqui, fazendo o que quero, eu me sentiria bem. O que está acontecendo com ele?" É claro que se ele estiver presente e não quiser fazer o que você está pedindo é pior ainda! É raro que haja uma preocupação de saber: "O que será importante para ele?". Mais raro ainda é alguém perguntar-se: "O que eu poderia fazer para que ela *quisesse* fazer isto para mim?".

Ao sentir que o seu companheiro não lhe dedica tempo suficiente, na hora que você quer, então é o momento de se sentir mal... e se você ligar a sensação ruim ao rosto da pessoa, assim que ela chegar você se sentirá pior ainda! Não é interessante?! Não só se sentir mal quando o outro está ausente, mas quando ele está presente também! Não é nada engraçado. Não é justo viver assim.

E se ele sentir-se culpado porque não está com você, ao chegar ele ligará essa sensação de culpa a você. Assim, ao vê-la, ele se sente culpado e não vai mais querer estar com você. Estes são os meta-padrões da obrigação. Eles baseiam-se em um erro enorme: a idéia de que o casamento é uma dívida pessoal.

Quando se pergunta às pessoas o que elas desejam, em geral trata-se do que elas *não* possuem, ao invés daquilo que elas já têm. Há uma tendência a ignorar o que já possuem e gostam, e só notar o que falta.

Em geral, as pessoas casadas não acham que têm sorte como no início do relacionamento. Imagine o que aconteceria se cada vez que o visse você se achasse uma pessoa *de sorte*. E mesmo quando ele não estiver com você — por estar fazendo algo que você gostaria que não estivesse, ou por você preferir não acompanhá-lo —, ainda assim sente-se *com sorte* porque esta pessoa está presente a maior parte do tempo. E quando ele está longe de você, sente-se *com sorte* por ser o único preço que tem de pagar. Não é muito caro, é? Se você não pensar assim, então acho que não vale a pena.

Outra coisa que sempre me surpreendeu é a maneira como as pessoas são raramente desagradáveis com estranhos. É preciso conhecer bem e amar uma pessoa para tratá-la mal de verdade e fazê-la sentir-se mal. Pouca gente gritaria com um estranho sobre coisas tão fundamentais como, por exemplo, as migalhas de pão do café da manhã, mas se você o faz com alguém que ama, então está tudo bem.

Fui consultado por uma família e o marido era uma pessoa realmente intratável. Ele apontou para a sua mulher e disse: "Ela acha que uma menina de 14 anos pode ficar na rua até às 9h30 da noite!". Olhei bem para ele e disse: "E *você* acha que uma menina de 14 anos pode assistir um homem brigar e gritar com a sua mulher, fazendo-a ficar triste!".

É horrível sentir-se perdido.

Às vezes os pais querem que a filha adolescente deixe de gostar de sexo. É uma tarefa imensa, abusiva e idealista querer que alguém volte a ser virgem! Os pais então querem que você convença a menina de que sexo não é agradável, que é perigoso e que o fato de ela gostar pode levá-la a se sentir mal pelo resto da sua vida! Alguns terapeutas chegam a tentar e... alguns conseguem.

Certa vez um homem entrou no meu escritório torcendo o braço da sua filha, jogou-a numa cadeira e gritou: "Sente-se!".

"Há alguma coisa de errado?

"Esta menina é uma *prostituta!*"

"Mas eu não pedi uma prostituta. Por que é que você trouxe uma?"

Nem preciso falar da reação dele! Esta é uma das minhas observações favoritas. É possível fazer uma pessoa enlouquecer numa dessas. E, se logo em seguida a esta observação você lhe faz uma pergunta, ele nunca mais consegue voltar para o ponto onde estava.

"Não, não! Eu não quis dizer isto..."

"Quem é essa menina?"

"Minha filha."

"Você fez a sua filha tornar-se uma *prostituta!!!*"

"Não! Você não está entendendo..."

"E você a trouxe aqui! Isto é horrível!"

"Não, não, não! Você entendeu tudo errado."

O homem, que tinha entrado no meu consultório fazendo o maior escarcéu, estava agora me implorando que eu entendesse o que ele queria dizer. Da posição de ataque inicial, ele havia passado à posição de defesa. Enquanto isto, a filha dele estava se divertindo a valer, achando tudo magnífico.

"Bem, então me explique o que quer dizer."

"Eu só acho que coisas horríveis vão acontecer com ela."

"Você está certíssimo, já que a ensinou a ser prostituta!"

"Não, não é nada disso..."

"E o que você quer comigo, então? Que quer que eu faça?"

Ele começou a descrever tudo o que desejava. Quando terminou, eu disse: "Quando você entrou com a sua filha, estava torcendo o braço dela e jogou-a na cadeira. É assim que prostitutas são tratadas. É isto que você está ensinando a ela".

"Bom, eu quero forçá-la a..."

"Ah, forçar — ensinar a ela que os homens controlam mulheres torcendo-lhes os braços, jogando-as no chão, dando-lhes ordens, forçando-as a fazer o que não desejam. Esta é a atitude de cafetões. A única coisa que está faltando é cobrar dinheiro por isto."

"Mas, não é isto que estou fazendo. Ela está dormindo com o namorado."

"Ela cobrou dinheiro para isso?"

"Não."

"Ela o ama?"

"Ela é muito nova para amar."

"Ela não amava você quando era pequena?"... As lembranças flutuam, passando para quando ela era pequenina, sentada no colo do papai. Mesmo os mais ranzinzas não ficam insensíveis a este tipo de recordação.

"Queria perguntar-lhe uma coisa. Olhe para a sua filha. Você não quer que ela seja capaz de amar e de ter uma vida sexual agradável? A moral de hoje em dia é diferente, e você não é obrigado a gostar disso. Contudo, já pensou que, se continuar a agir com ela como há pouco, o único exemplo que ela terá sobre o comportamento masculino será esse? Bem, imagine que ela tenha chegado aos 25 anos e casado com alguém que bata nela, a violente e a force a fazer coisas que não quer."

"Mas ela pode cometer um erro e se machucar."

"Talvez. Daqui a dois anos o namorado dela poderá jogá-la para o alto e ir embora. E quando ela ficar triste e solitária... não terá a quem recorrer porque vai detestar o pai dela. Se ela o procurasse, com certeza você diria: "Bem que eu disse".

"Mesmo que ela consiga encontrar outra pessoa e ter um bom relacionamento com ela, quando tiver os seus filhos — *seus netos* —, ela nunca virá mostrá-los a você. Porque ela se lembrará do que você fez com ela e não vai querer que faça o mesmo com os seus filhos..."

Como o pai está sem ação, é o momento certo de agir. Olhando bem nos seus olhos, você diz a ele: "Você não acha que é mais importante que ela tenha bons relacionamentos amorosos?... ou acha que é melhor adotar a moral do tipo de homem que torce o braço dela? Isto é o que os cafetões fazem".

Tentem revidar este tipo de argumento. Não há como escapar. Não há como voltar atrás e repetir o que ele fez antes. Ele não quer agir como um cafetão. Pouco importa se a pessoa está sendo forçada a *não* fazer algo ou a *fazer* algo, ou a fazer algo de "bom" ou de "ruim". A maneira como ela está sendo forçada ensina-a a ser controlada desta forma.

O problema é que ele não tem mais nada a fazer. Ele parou de fazer o que fazia antes, mas não tem nada para colocar no lugar. Tenho que lhe dar outras opções, do tipo ensinar-lhe a maneira certa como um homem deve tratar uma mulher. Porque *então* se a filha dele não for bem tratada pelo namorado, não aceitará isto passivamente. Ele foi apanhado. Sabem o que isto quer dizer? Ele vai ter de construir um relacionamento positivo com a mulher e ser delicado com outras pessoas da família e fazer com que a sua filha sinta-se *melhor* com a família do que com o namorado. Que tal, como exemplo de compulsão?

Nem uma única vez eu perguntei: "Como se sente em relação a isso? O que está sentindo agora? Tem consciência do que está sentindo?" ou "Arrependa-se" ou "Vá lá dentro de você e pergunte".

As pessoas se esquecem facilmente do que desejam. Elas ficam presas, tentando conseguir o que querem. Elas não se dão conta de que a *maneira* como estão tentando é que não funciona. E quando não funciona, elas vão procurar um terapeuta para aprender a fazer o que faziam *ainda melhor*. Não se dão conta de que o que estão tentando aprender vai lhes dar exatamente o que *não* querem.

Quando algo de indesejável acontece, sempre é possível dizer: "É sua culpa. Vou destruir você". Esta atitude talvez seja útil na selva. Mas a consciência deve evoluir até o ponto em que você diga:

"Tenho um cérebro. Vamos retroceder um pouco, pensando naquilo que queremos e ir atrás disso".

Sempre que você se sentir mal em relação a alguém e se sentir bloqueado... ou *certo* demais... ou íntegro... espero que escute uma vozinha dentro da sua cabeça que diga: "Bem feito para você!". E se achar que não há nada a fazer, tem razão — até que entre dentro do seu cérebro e retroceda, retroceda, para poder ir em frente e atingir a sua meta, de outra maneira.

V

METAS

Com o objetivo de compreender o motivo que leva as pessoas a fazer certo tipo de coisas, psicólogos desenvolveram uma série de modelos que não deram o resultado esperado. Contudo, muitos continuam a usar este método. Ainda encontramos pessoas procurando ids e egos, com a mesma probabilidade que temos de encontrar um "pai", ou "filho" ou um "adulto". Talvez estes psicólogos tenham assistido a filmes de terror em excesso quando eram crianças. "Você tem um pai, um adulto e uma criança dentro de você, responsáveis pelo que você faz." Há a impressão de que a pessoa precisa ser exorcisada. Antigamente dizia-se: "Satanás me tentou". Agora dizem: "As minhas partes me obrigaram a fazer isto".

"Você está dizendo isto porque o seu pai está falando."

"Não, inclusive ele nem mora nesta cidade!"

A Análise Transacional separa em três partes os comportamentos — mais ou menos como a múltipla personalidade, só que se trata, supostamente, de um tratamento. Se você está num estágio mais adiantado, terá nove partes, porque cada uma das três primeiras tem mais três — um pai, um adulto e uma criança — dentro *delas*! Nunca gostei de AT porque a única parte que pode divertir-se é a criança e a única que tem bom senso é o pai. Todo mundo tem de ter exatamente o mesmo número de partes, não havendo espaço para individualidades. Também há muita segregação em AT: o meu adulto não pode falar com a sua criança, só com o seu adulto. E por que minha criança não pode falar com o seu pai? Não é justo. Mas vocês nem podem imaginar como é fácil convencer certas pessoas. Quantos aqui aceitaram sem pestanejar? Alguém explicou a teoria e vocês pensaram: "É isso aí". Nem todo mundo tem um pai, um adulto e uma criança que brigam entre si. No Taiti, por exemplo. É preciso que um terapeuta ensine a vocês a terem este tipo de problema.

Há alguém que tenha uma voz de "pai desaprovador" que o humilhe e tente forçá-lo a fazer certas coisas? Se alguém lhe sugerir que você tem uma voz interior que o critica sem parar, e se você começar a prestar atenção nela, adivinhe o que vai acontecer? Você vai criar uma. Uma atitude interessante seria concordar com ela o tempo todo, até enlouquecê-la. Outra coisa a fazer seria mudar a sua localização. Descubra o que aconteceria se a mesma voz viesse do seu dedão do pé esquerdo. Esta mudança com certeza modifica o impacto da voz, não acham?

É bom levar em consideração, contudo, que a voz pode estar certa sobre o que diz. Talvez deva escutar o que ela tem a dizer, em vez de simplesmente se sentir mal. Gostaria de demonstrar o que pode ser feito com uma voz desaprovadora que o faz sentir-se mal. Quem tem uma bem atuante?

Fred: Eu tenho uma bem atuante.

Ótimo. Você pode ouvi-la agora?

Fred: Sim, está me criticando por falar.

Ótimo. Pergunte se ela pode lhe contar o que ela deseja *para você que seja positivo* e preste atenção na resposta. Será que ela quer que você se proteja de alguma forma? Será que ela deseja que você seja competente? Há muitas possibilidades.

Fred: Ela quer que eu tenha sucesso. E ela me critica quando fico saliente.

Muito bem, com certeza você concorda com a sua intenção. Você quer ser bem-sucedido, não é?

Fred: Claro.

Pergunte a essa voz se ela acredita que tem informações que possam ser úteis para você...

Fred: Ela está dizendo: "Claro".

Já que ela tem essas informações, pergunte-lhe se ela gostaria de tentar mudar a *maneira* como fala com você, para que possa prestar mais atenção e entendê-la melhor, para ser mais bem-sucedido...

Fred: Ela não acredita muito, mas quer tentar assim mesmo.

Muito bem. Agora quero que pense em maneiras de mudar a forma como a voz se expressa, para que você consiga entendê-la melhor. Por exemplo, se ela usar um tom mais suave e mais amistoso, você prestará mais atenção ao que ela diz? Seria talvez melhor que ela lhe desse dicas úteis e mais específicas sobre o que fazer em seguida, em vez de criticar o que você já fez?

Fred: Pensei em uma ou duas coisas que ela poderia mudar.

Muito bem. Pergunte à voz se ela desejaria experimentar essas novas maneiras para descobrir se você realmente escutaria o que ela está dizendo, se ela falar com você de outra maneira...

Fred: Ela diz que sim.

Diga-lhe para tentar...

Fred: É interessante. Já não é mais uma voz de "pai desaprovador". É mais um conselheiro amigo. É um prazer ouvi-la.

É claro. Quem quer escutar uma voz que grita e critica? Os verdadeiros pais deveriam também experimentar isto quando quiserem que os filhos prestem atenção no que estão dizendo. Se você usar um tom de voz delicado, com certeza as crianças vão prestar atenção ao que você diz. Temos chamado este procedimento de "Resignificação", e é a base de um grupo de habilidades de negociação úteis na terapia familiar e nos negócios e também dentro da sua cabeça. Se quiserem saber mais, leiam o livro *Resignificando*. O que quero que notem é que a voz interior de Fred tinha esquecido o seu objetivo até que eu o lembrei a ela. Ela queria motivá-lo, mas o que estava conseguindo era simplesmente fazê-lo sentir-se mal.

Da mesma maneira, apesar de todo o impacto positivo do movimento de liberação da mulher, aconteceu a mesma coisa. O objetivo principal era motivar as pessoas a mudarem a maneira de pensar sobre as mulheres e de tratá-las. As mulheres então aprenderam a identificar os comportamentos machistas. E agora quando uma *outra* pessoa faz uma observação machista *você* tem de se sentir mal!

Não me parece nenhum progresso o fato de as pessoas "liberadas" sentirem-se mal quando outra pessoa diz alguma coisa machista! Que tipo de liberação é essa? É como quando a gente era pequeno e se alguém nos chamasse de "estúpido" ou "feio". Antigamente, as pessoas faziam observações machistas e ninguém notava, e agora é obrigatório gritar ao se ouvir este tipo de coisa. Que liberação! Agora existem novas razões para se sentir mal. Quando eu ia a uma *boîte* escolhia propositalmente uma mulher que reagiria dessa maneira. "Aquela ali parece ótima. Posso fazê-la sentir-se péssima." "Oi, gatinha." "Arrgghh!".

Se o objetivo é evitar que as pessoas façam observações machistas é melhor fazer com que *elas* sintam-se mal. É muito mais engraçado, mais eficiente... e muito mais liberado também.

Gosto muito de chamar a atenção de mulheres que usam expressões machistas.

Uma mulher chega e diz: "Bem, as meninas lá do escritório..."

"Quantos anos elas têm?"

"Bem, estão na faixa dos 30."

"E você as chama de *meninas*! São *mulheres*, sua machista! Você chama o seu marido de *menino*?"

Se fizermos alguma coisa para que as pessoas que formulam observações machistas sintam-se mal, estaremos atingindo o objetivo de criar uma motivação de mudança na pessoa certa — aquela cujo comportamento queremos mudar. Críticas e ataques não são, no entanto, a melhor maneira de fazer alguém mudar. A melhor maneira é descobrir como eles já se motivam e usar isto.

Se fizermos muitas perguntas, de maneira persistente, podemos descobrir como uma pessoa faz qualquer coisa, incluindo a motivação. Muita gente sofre de "falta de motivação" e um exemplo típico é o das pessoas que não conseguem levantar-se de manhã. Ao analisarmos estas pessoas descobriremos como fazer para não acordar, o que pode ser bastante útil para quem sofre de insônia. Tudo o que as pessoas fazem é útil para outra pessoa, em alguma hora, e lugar. Mas vamos ver quem acorda facilmente, rapidamente e sem remédios. Há alguém aqui, assim?

Betty: Eu acordo facilmente.

E como você consegue?

Betty: Eu me acordo.

Preciso de mais detalhes. Como se sabe que está acordado? Qual é a primeira coisa que lhe vem à consciência? Você coloca o despertador ou não, em geral?

Betty: Eu não uso despertador. Só me dou conta de que estou acordada.

Como é que você se dá conta? Começa a falar consigo mesma? Vê alguma coisa?

Betty: Eu digo a mim mesma.

O que você diz a si mesma?

Betty: "Estou acordada. Estou acordando."

O que a faz dizer isso? A voz que diz "Estou acordando" está notificando-a de que há algo a ser notado, de forma que houve alguma coisa que precedeu à informação. Seria um comentário sobre uma sensação ou uma luz que aparecia? Alguma coisa mudou. Volte atrás e repasse o que acontece em seqüência.

Betty: Eu acho que era uma sensação.

De que tipo? Calor? Pressão?

Betty: Calor.

Esta sensação passou de calor a frio ou de frio para calor?

Betty: A sensação de calor ficou mais intensa. Meu corpo ficou mais quente.

Logo que você se dá conta da sensação de calor você pensa: "Estou acordando". O que acontece logo depois? Não viu nada ainda? Nenhuma imagem interna?

Betty: Eu me digo: "Tenho de me levantar".

A voz é alta? Há outros sons que a acompanham? Qual é o tom da voz?

Betty: É uma voz calma, delicada.

O tom dessa voz interna muda à medida que ficou mais acordada?

Betty: Sim. Fica mais rápida, mais clara, mais perceptível e mais alerta.

Eis um exemplo do que chamo de estratégia de motivação. Não é tudo, mas o bastante para compreender o que a motiva. Ela tem uma voz interior que é calma e sonolenta. Depois, quando a voz diz "tenho que levantar", ela começa a acelerar, tornando-se mais acordada e alerta.

Quero que todos experimentem o seguinte. A melhor maneira de aprender o que os outros fazem é tentando. Não é necessário repetir as mesmas palavras, mas pare por um momento para fechar os olhos, sentir o seu corpo e escutar a voz interior dentro da sua cabeça. Faça com que esta voz comece a falar com você num tom sonolento e calmo... Agora, faça com que a voz fique um pouco mais rápida, mais alta e mais alerta... Observe as mudanças nas suas sensações...

Sentem alguma diferença de percepção? Se não sentirem, verifiquem o seu pulso. Uma voz interior estimulante é uma ótima maneira de manter uma pessoa acordada, sempre que for necessário. Se você começar a falar consigo mesmo e ficar sonolento onde não deveria, na estrada por exemplo, pode aprender a levantar o volume e o tom da sua voz interior e falar um pouco mais rápido sobre algo estimulante e ficará imediatamente alerta.

É isto que muitas pessoas que têm insônia fazem. Elas conversam consigo mesmas num tom de voz alto e excitado que as mantêm acordadas — mesmo se estão falando sobre a necessidade de dormir. Pessoas com insônia são, em geral, muito alertas e motivadas. Elas acham que não dormem o suficiente, mas, segundo pesquisas realizadas com elas, ficou demonstrado que dormem quase tanto quanto a maioria das pessoas. A única diferença é que elas passam muito tempo *tentando* dormir, mas não conseguem por causa do tom da sua voz interior.

Outra forma de se ter insônia é ver várias imagens brilhantes, em *flashes* rápidos. Certa vez perguntei a um cliente o que fazia, e ele respondeu: "Fico pensando em todas as coisas sobre as quais não estou pensando". De noite, tentei fazer a mesma coisa. "Sobre o que não estou pensando?" Logo, já eram seis horas da manhã, e pensei: "Já sei o que é — *dormir*!".

Agora quero que modifiquem novamente a voz. Façam-na ficar mais suave, mais baixa, mais sonolenta e observe todas as mudanças que ocorrem...

Certa vez, quase perdi o controle de um grupo num seminário. Abram logo os olhos e acelerem a voz de novo, senão ficarão inconscientes durante o resto do curso. Este é o tipo de estratégia que pode ser ensinado às pessoas que sofrem de insônia e usada por vocês sempre que precisarem. Por experiência própria sei que o melhor que faço ao entrar num avião é ficar inconsciente. São 20 minutos de onde moro ao aeroporto principal. Assim que entro no avião imediatamente fico inconsciente.

Homem: Quando se está tentando descobrir como alguém fica motivado, como saber que chegamos ao início da seqüência? Por exemplo, Betty disse que a sua voz interior começava a falar mais alto. Como sabe que tipo de perguntas fazer nessa altura dos acontecimentos?

Isto vai depender de onde você quer chegar. É difícil determinar exatamente onde é o começo. A única coisa a fazer é conseguir um número suficiente de detalhes para recriar aquele mesmo tipo de experiência. Se eu repetir a experiência e ela funcionar, então é porque já consegui detalhes suficientes. A única maneira de testar é através da própria *experiência* — a sua ou a de outra pessoa.

Do momento que eu conheça a estratégia de motivação de outra pessoa, posso, literalmente, motivá-la a fazer qualquer coisa do tipo levantar de uma cadeira, por exemplo, fazendo-a simplesmente repetir o processo: "Sinta a cadeira, diga a si mesmo 'Tenho que me levantar'. Modifique o seu tom de voz mais rápido, mais alto e mais alerta". Qualquer que seja o processo utilizado para se levantar da

86

cama, provavelmente é o mesmo usado para descer escadas ou alcançar um livro, ou fazer qualquer outra coisa.

Existem várias outras maneiras de se motivar. Porém, prefiro que vocês mesmos experimentem descobri-las. Escolham um parceiro que não conheçam bem e descubram como é que se levanta da cama. Todo mundo teve de sair da cama pelo menos hoje de manhã, e quem não saiu não está presente. Comecem com uma pergunta simples: "Como é que você se levanta de manhã?". O seu parceiro lhe dará uma ou duas respostas genéricas e a sua tarefa será a de fazer outras perguntas sobre o resto dos detalhes.

Quando você achar que conseguiu entender toda a seqüência tente fazer a mesma coisa para ver se funciona com você. Por exemplo, talvez o seu parceiro diga: "Vejo a claridade entrando através da janela e digo a mim mesmo 'levante-se' e aí me levanto". Se você experimentar isto — olhar a claridade na janela e se dizer "levante-se" — não significa que irá levantar-se. Não é o suficiente para que dê certo. Como as pessoas fazem isto de maneira automática e inconsciente, é necessário fazer uma série de perguntas para reunir todos os detalhes.

Como não estamos num seminário de estratégias, não será necessário entrar em muitos detalhes. Mas é bom que vocês aprendam as peças-chaves da seqüência. Sempre há um elemento que faz toda a *diferença*. No caso de Betty é a mudança de tonalidade da voz que a faz levantar-se. Para poder descobrir isto é necessário ir atrás dos detalhes. Se alguém disser: "Crio uma imagem de mim mesmo me levantando", você deve conseguir mais detalhes. "É um filme? Um diapositivo? É em cores? Grande? Você diz alguma coisa? E com que tom de voz?" São esses pequenos detalhes que fazem a seqüência dar certo. Alguns são mais eficientes do que outros e ao modificar cada um deles é fácil descobrir, observando-se o impacto. Agora quero que façam a experiência, levando mais ou menos 15 minutos cada um...

Bom, o que vocês conseguiram descobrir? Como é que os seus parceiros motivam-se para levantar? Quais são as peças-chaves da seqüência?

Bill: O meu parceiro ouve o despertador, olha para ele e desliga-o. Depois, deita-se de novo e sente o quanto é confortável estar na cama. Uma voz interior lhe diz: "Se continuar, vai adormecer e atrasar-se" e ele imagina uma cena em que chega atrasado ao trabalho e sente-se desconfortável. Aí a voz diz: "Vai ser pior da próxima vez" e ele faz uma imagem ainda maior do que acontecerá se chegar de novo atrasado e sente-se mais desconfortável ainda. A seqüência parece ser "voz, imagem, sensação ruim". Quando a sensação fica insuportável ele se levanta.

Isto é o que chamamos de "velha rotina de ansiedade". Geram-se sensações ruins até que se achem suficientemente motivados para evitar as sensações desagradáveis. Rollo May tem esse tipo de motivação. Ele até escreveu um livro sobre o assunto, que pode ser resumido em uma única frase: "Estamos enganados sobre a ansiedade. Trata-se de algo positivo porque ela motiva-nos a tomar atitudes". Isto é certo, sem dúvida, *caso* a sua estratégia de motivação baseie-se na ansiedade. Mas nem todo mundo tem este tipo de motivação. Para outras pessoas a ansiedade *impede-as* de executar o que desejam. Essas pessoas pensam em fazer algo de interessante, criam uma imagem de como poderia dar errado, depois ficam ansiosos e não fazem nada.

Suzi: Faço algo parecido com o que o parceiro de Bill faz. Eu me digo que posso descansar ainda um pouco. Mas, à medida que o tempo passa, a imagem do meu atraso fica cada vez maior, mais próxima e luminosa. Continua a mesma imagem, mas quando fica muito grande, tenho que me levantar para acabar com a sensação desagradável.

Você procrastina outras coisas também? (Sim). Quantos entregam relatórios no último momento? Quanto mais demorar mais motivados ficam. O parceiro de Bill tem um gerador interno de ansiedade. E Suzi foge do relógio. São parecidos no sentido em que usam sensações desagradáveis como motivação. Há alguém que use sensações agradáveis como motivação — mesmo que seja para fazer algo desagradável?

Frank: Sim, Marge imaginava todas as coisas que ia fazer durante o dia e sentia-se bem. Ela diz que estas imagens agradáveis a faziam "pular da cama".

E se ela tiver que fazer somente coisas desagradáveis? Você perguntou a respeito?

Frank: Sim. Ela disse que imaginava que já havia acabado tudo e que sentia-se feliz por tê-las terminado. Esta sensação agradável também a fazia pular da cama. Isto me pareceu completamente fora da realidade. Não consigo imaginar que funcione e queria que você explicasse o mecanismo. Onde está Marge?... Marge, em que mês você prepara a sua declaração do imposto de renda?

Marge: Eu a preparo em meados de janeiro. É tão bom ter tudo feito, assim posso fazer outras coisas.

Bom, parece realmente funcionar. Ninguém gosta de *preparar* a declaração de imposto, mas todo mundo gosta quando ela já foi *feita*. O segredo é conseguir ter a sensação agradável de tê-la *acabado*, antes mesmo de começar. A motivação que Marge usa baseia-se em sensações agradáveis ao invés de desagradáveis. É menos comum e parece *muito* estranho a Frank, que faz justamente o oposto.

Muita gente consegue motivar-se para fazer coisas interessantes. Eles criam imagens deles *ao fazer* estas coisas e sentem-se tão atraídos que começam logo a fazê-las. No entanto, este processo não funciona para aquelas que *devem* ser feitas, mas que não gostamos de *fazer*. Se a pessoa não gosta de preparar a declaração do imposto de renda e fizer uma imagem de si próprio *preparando* a declaração, vai sentir aversão, o que não é nada animador. Se você se motivar de forma positiva é necessário pensar sobre o que há de interessante na tarefa. Se você não gosta da tarefa em si, é o fato de havê-la terminado que é atraente.

Há ainda outro ponto que deve estar presente para que a estratégia de Marge funcione. Quantos já pensaram o quanto seria bom terminar uma tarefa, e ao começá-la perderam o entusiasmo?

Marge, quando você prepara a sua declaração, o que a motiva a continuar?

Marge: O tempo todo fico pensando o quanto vou sentir-me bem quando tiver terminado tudo.

Trata-se de um ponto importante, mas aposto como também faz outra coisa.

Marge: Bem, cada vez que escrevo um número ou acabo de preencher um dos formulários, sinto-me bem por ter terminado aquele pedacinho. É como se fosse uma pequena prévia da sensação de alívio que terei quando terminar *tudo*.

Certo. Estas duas atitudes são o que motiva você a continuar e a segunda é mais eficiente do que a primeira. Se você pensar em ter tudo acabado e se o projeto que está fazendo for um pouco longo, talvez tenha a sensação de que o final esteja longe demais. Mas, se tiver uma sensação agradável a cada vez que um pedacinho tenha sido feito, isto o motivará a continuar, mesmo que seja algo enfadonho.

Marge: Acho interessante o que você acaba de dizer porque explica uma série de coisas que acontecem comigo. As pessoas vivem me chamando de "Polyana", pois estou sempre pensando em como vai ser bom quando algo desinteressante tiver sido feito. Faço montes de coisas, mas não consigo fazer com que outras pessoas façam a mesma coisa. Quando conto a eles como vai ser bom quando tudo estiver feito, eles me olham como se não compreendessem.

Certo, eles não podem entender. Não é assim que *eles* se motivam.

Frank: Se eu entendi bem, você está dizendo que se pode ficar motivado de maneira forte e eficiente sem mesmo sentir nada de desagradável. Há alguma esperança para aqueles que se motivam à base de ansiedade?

Claro. Como tudo que outra pessoa faz, as estratégias de motivação podem ser aprendidas e pode-se sempre aprender uma diferente. É bem fácil ensinar-lhes a de Marge. Mas deve-se ter muito cuidado ao se fazer um tipo de mudança tão profunda como essa em alguém.

Algumas pessoas tomam decisões duvidosas, mas como não estão muito motivadas, de qualquer forma, isto não lhes traz muitos problemas. Se ensinarmos a essas pessoas uma estratégia de motivação realmente eficaz, elas levarão adiante uma série de decisões negativas e farão coisas tolas, irrelevantes e até mesmo perigosas. Sendo assim, antes de ensinar a alguém uma nova e poderosa estratégia de motivação, eu me certifico de que a pessoa já tem uma maneira eficiente de tomar decisões. Se ela não tiver, eu ensinarei uma boa maneira *antes* de lhe mostrar a nova estratégia de motivação.

Existem muitas variações de motivação, e já temos exemplos das duas principais. Muita gente se motiva pensando o quanto se sentirão mal se *não* fizerem algo que devam fazer e em seguida afastam-se daquela sensação ruim. Psicólogos que estudam ratos em laboratórios chamam isto de "condicionamento por aversão".

Algumas poucas pessoas fazem o inverso como, por exemplo, Marge. Ela usa as sensações positivas para ir *em direção* daquilo que ela *quer* que aconteça, em vez de fugir daquilo que não quer que aconteça — *e* ela recebe reforço o tempo todo.

Alguém que tenha o mesmo tipo de estratégia de Marge realmente vive num mundo diferente do da maioria das pessoas — em

um mundo sem ansiedade, chateação e estresse sentidos pelas outras pessoas.

Muita gente tem uma combinação das duas estratégias. Primeiro pensam no que vai acontecer se não fizerem o que têm de fazer e depois em como será bom quando tiverem terminado tudo.

Todas as estratégias de motivação funcionam, e não é bom deixar de lado algo que está dando certo. Contudo, algumas são mais rápidas, mais persistentes e muito mais agradáveis.

Muita gente procura terapia, ou vai para a prisão, por causa de problemas oriundos de motivação. Ou não estão motivados a fazer as coisas que eles, ou outras pessoas, querem, ou *estão* motivados a fazer coisas que eles próprios, ou outras pessoas, *não* querem. Hoje examinamos uma pequena parte de como a motivação funciona, para que tenham mais controle sobre o que estão motivados para fazer. O que acabamos de fazer é apenas o começo do que pode ser feito com a motivação, mas lhes dá oportunidade de observar por si mesmos as imensas possibilidades.

VI

ENTENDENDO A CONFUSÃO

Muita gente sente dificuldades quando está confusa a respeito de algo. Gostaria de mostrar como transformar a confusão em compreensão. Quero alguém para fazer uma demonstração. Prestem atenção, porque depois vão fazer o mesmo com um parceiro.

Bill: Gostaria de experimentar.

Primeiro, pense em algo sobre o qual esteja confuso e que gostaria de entender.

Bill: Tem uma série de coisas que não compreendo...

Pare. Quero que preste atenção ao que lhe pedi. Não lhe pedi para pensar em algo que não compreendesse, e sim em algo sobre o qual está *confuso*. "Confusão" e "não compreensão" são duas coisas bem diferentes. Há muita coisa que não compreendemos porque não sabemos nada a respeito. Você talvez não compreenda como é feita uma cirurgia de peito aberto ou como se fabrica uma bomba de hidrogênio. Não há confusão a respeito, você simplesmente não possui as informações necessárias para saber como essas duas coisas funcionam.

A confusão, contudo, é uma indicação de que se está chegando à compreensão. A confusão pressupõe que a pessoa já possua todos os dados, mas não organizados de forma que lhe permita entendê-los. Assim, quero que pense em algo sobre o qual esteja confuso, algo sobre o qual tenha bastante experiência, mas que não faz sentido para você...

Bill: Estou pensando...

Espere um pouco. Não quero que me diga o contexto do que está pensando. Ele só é necessário quando se é barulhento. Sou um matemático. Só estou interessado na *forma*. Além do que, seria fácil vocês se perderem no contexto. Quero que aprendam o *processo* que estou demonstrando.

Você pensou em algo sobre o qual está confuso. Quero que pense em algo similar que você compreenda. Quando digo similar, quero dizer que se a sua confusão diz respeito ao comportamento de alguém, a sua "compreensão" também deve dizer respeito ao comportamento de alguém. Se a confusão tem a ver com a mecânica do seu carro, a compreensão deve dizer respeito a algo mecânico também, do tipo como funciona a sua torradeira de pão.

Bill: Já pensei em algo que compreendo.

Agora quero que tenha duas experiências internas. Chamaremos a uma delas "compreensão" e à outra de "confusão". Ambas têm imagens?

Bill: Sim.

O que nos interessa são as *diferenças* entre ambas. Quais são? Por exemplo, talvez uma seja um filme e outra um diapositivo. Uma talvez seja em branco e preto, e a outra colorida. Quero que você vá para dentro de si mesmo e, após examinar as duas experiências, diga-me de que forma são *diferentes*...

Bill: A confusão é um diapositivo e é pequeno. A compreensão é um filme e é grande.

Há mais diferenças? Se a imagem da confusão é pequena, provavelmente está mais distante.

Bill: É verdade, ela está mais distante.

Ambas têm som?

Bill: Sim, a compreensão tem uma voz descrevendo o que eu vejo. A confusão é silenciosa.

Como é que você sabe que está confuso a respeito de uma delas, mas que compreende a outra?

Bill: Tenho sensações diferentes ao olhar para as duas imagens.

Muito bem. Como é que as suas sensações sabem como se sentir quando você olha as imagens?

Bill: Acho que é porque lhes ensinei.

Quero que observem o seguinte. Fiz uma pergunta usando "como", referente ao processo, e ele respondeu com um "porque". "Porque" é resposta de um "Por quê?". O que se consegue com um "Porque" é um monte de teoria histórica. Eu tenho apenas uma teoria, que é a seguinte: a razão por que as pessoas têm tanta dificuldade em comandar os seus cérebros é porque os eixos da Terra são inclinados. Assim, o que se tem, de fato, é o cérebro de outra pessoa. Isto é o máximo que eu faço, em matéria de teorização.

Vamos tentar de novo. Bill, *como* é que você sabe que deve ter sensações diferentes ao olhar para as duas imagens?...

Bill: Eu não sei.

Eu gosto dessa resposta.

Bill: Depois de refletir, decidi que não sei.

Isto às vezes acontece. Finja que sabe. Fale. A pior coisa que pode acontecer é estar errado. Anos atrás dei-me conta que já estive errado tantas vezes, que a melhor coisa a fazer era estar errado de formas mais interessantes.

Bill: Quando eu olho para a imagem da compreensão, eu posso ver como as coisas funcionam. E isto me dá uma sensação suave de relaxamento. Quando olho para a outra não consigo ver o que vai acontecer depois. Sinto-me um pouco tenso.

Realmente, parece que são duas experiências completamente diferentes. Há alguém que queira fazer perguntas a respeito do que estou fazendo?

Homem: Você faz com que tudo pareça tão fácil. Como saber que perguntas devem ser feitas?

Tudo o que quero saber é: "De que maneira duas experiências são diferentes?". As respostas são diferenças específicas na experiência visual, auditiva e cinestésica da pessoa. As muitas perguntas são dirigidas para o que a pessoa *não* está notando, e são sempre destinadas a ajudar a pessoa a fazer distinções que não estava fazendo antes. Por exemplo, quando perguntei a Bill se era um diapositivo ou um filme, ele pôde responder logo. Mas, provavelmente, ele nem havia notado essa diferença antes, porque ninguém jamais havia lhe perguntado isso antes.

Mulher: Existe alguma ordem específica para as perguntas? Você perguntou se era um diapositivo ou um filme, antes de perguntar se era colorido ou preto e branco.

Há uma certa eficácia em se perguntar sobre coisas primeiro e sobre qualidades depois; assim a gente se perde menos. Se você pergunta "Qual a velocidade?" e acontecer de ser um diapositivo, a pessoa talvez fique um pouco confusa. Primeiro pergunte sobre o que é básico, fazendo depois as perguntas sobre diferenças mais sutis.

As perguntas também são uma questão de familiaridade. Já examinei antes esta questão de confusão e compreensão, portanto sei os tipos de diferenças que podem existir. Ao se fazer isto pela primeira vez é normal que se vacile um pouco. Posteriormente, fica-se mais afinado e sistemático. Também é possível fazer uma longa lista incluindo todas as possibilidades e examiná-las uma a uma. Mas é fácil mencionar algumas das principais distinções para colocar a mente da pessoa na direção correta, e depois perguntar: "Como elas são diferentes?".

Agora, passemos à parte mais interessante. Bill, quero que você faça a "confusão" ficar igual à "compreensão". Não quero que mude o conteúdo. Só que mude o *processo* usado para representar o mesmo conteúdo. Em primeiro lugar, quero que transforme o diapositivo em filme...

Bill: Não estou conseguindo.

Faça assim. Primeiro, construa vários diapositivos em tempos diferentes. Quando tiver um bom número, olhe para eles passando em uma sucessão rápida. Aumente um pouco a velocidade e terá um filme. Um filme é apenas uma seqüência de imagens fixas passadas em seqüência rápida.

Bill: Está certo. Já tenho o filme.

Muito bem. Agora, acrescente um som de narração que descreva o filme... (Bob acena.)

Agora, aumente o tamanho do filme e traga-o mais para perto até que tenha a imagem da compreensão... O que acontece ao fazer isto? Dá para você entender agora?

Bill: Sim. Entendo o que está acontecendo. Sinto-me muito mais à vontade agora. Tenho a mesma sensação com ambas as imagens.

Faz sentido que você compreenda melhor se tiver um filme de bom tamanho com uma narração do que se for uma imagem fixa, pequena e silenciosa. Você tem muito mais informações, organizadas de uma forma que você possa compreendê-las. Esta é a maneira natural como Bill aprende a compreender alguma coisa.

Mulher: Não é necessário ter mais informações para deixar de ficar confuso?

Algumas vezes sim. Em geral, porém, a pessoa já tem a informação. O caso é que não tem acesso a ela de uma forma que permita a compreensão. Não que algo esteja faltando. É simplesmente que está mal organizada. As pessoas sabem *muito* mais do que acham que sabem. Em geral, não é a falta de informação que cria confusão, e sim o excesso. Normalmente, o que acontece é que existe uma colagem de informações, ou uma série de informações passando numa seqüência rápida. Por outro lado, a maior parte das imagens da compreensão são bem organizadas e em pouca quantidade. São como uma equação matemática elegante, ou como um poema bem escrito. Uma grande quantidade de informações é destilada até chegar a uma representação simplificada. O que eu fiz com Bill foi tornar-lhe possível reunir os dados de que já dispunha, de forma compreensível para ele. Ser capaz de usar a sua própria mente significa ser capaz de ter acesso, de organizar e de usar dados já disponíveis. Vocês já puderam observar o fogo na lareira. Se reorganizarmos as brasas, elas queimarão novamente. Nada foi acrescentado. A única coisa que mudou foi a *organização*, mas a diferença é enorme.

Se acharem que mais informações são necessárias, muitas perguntas serão feitas. Se as respostas só incluírem dados básicos, não serão de grande valia, e terão de continuar perguntando. Quanto mais respostas tiverem, menos vão examinar as perguntas que estão fazendo. Mas, se as perguntas ajudarem a *organizar* os dados disponíveis, talvez ajudem-nos a compreender. Isto é o que chamamos de "aprendizado passivo". Outras pessoas conseguem assimilar uma grande quantidade de dados e organizá-los sem necessidade de ajuda externa. Isto é chamado de "aprendizado ativo".

Agora, Bill, quero que tente de outra maneira. Transforme a sua compreensão original em uma imagem fixa, menor, mais distante e sem som...

Bill: Agora fiquei tenso e confuso.

Então podemos pegar qualquer coisa sobre a qual temos certeza e torná-la confusa. Vocês estão rindo, mas nem se dão conta de quanto isto pode ser útil! Vocês conhecem aquelas pessoas que acham que entenderam algo, quando a realidade é outra?... e esta falsa confiança pode trazer-lhes uma série de problemas? Uma boa dose de confusão pode ser útil para que escutem outras pessoas e reúnam informações preciosas. A confusão e a compreensão são experiências internas. Não têm necessariamente nada a ver com o mundo de fora. De fato, se prestarmos bem atenção, veremos que quase nunca é o caso.

No caso de Bill, é necessário que ele passe por um processo no qual as informações que ele possui sejam representadas como se fossem um grande filme com fundo sonoro, para que ele sinta o que chama de "compreensão". Isto às vezes acontece aleatoriamente e outras vezes pode ser induzido por outras pessoas. Contudo, agora que ele conhece o processo, pode provocá-lo sempre que estiver confuso a respeito de alguma coisa. Caso ele não disponha de todas as informações necessárias, talvez não tenha uma compreensão completa. Talvez o filme, ou a narração sonora, não esteja completo.

Mas será a melhor representação daquilo que ele conhece. Estes vazios, no filme ou na narração, indicarão exatamente onde é necessário obter mais informação. E sempre que ele estiver entediado com o que ele já conhece bem, poderá criar um pouco de confusão, como prelúdio para chegar a uma compreensão nova e diferente.

Agora, quero que repitam o que acabei de fazer com Bill. Será mais fácil se escolherem um parceiro desconhecido.

1) Peça ao seu parceiro para pensar em: a) algo que esteja meio confuso para ele e, b) algo similar que ele compreenda. Não é permitido falar sobre o conteúdo.

2) Pergunte: "Como essas duas experiências são diferentes?". Não se preocupe com as semelhanças, só com as diferenças.

3) Quando tiver pelo menos duas diferenças, peça ao seu parceiro para fazer com que a confusão fique igual à compreensão.

4) Teste o que foi feito, perguntando se ele compreende o que antes era confuso. Se ele entender, muito bem. Se não, volte à etapa 2 e descubra outras diferenças. Continue até que ele compreenda ou que ele perceba que tipo de informação *específica* está impedindo a compreensão total. Lembre-se que ninguém entende tudo perfeitamente. E isto é bom. É o que torna a vida interessante. Façam isto em 15 minutos para cada pessoa.

Vocês devem ter percebido que o seu parceiro fez algo diferente do que vocês fariam, em relação às palavras "confusão" e "compreensão". Vamos verificar primeiro as diferenças e depois examinar as dúvidas.

Homem: A minha confusão é como uma tela de televisão cujo ajuste vertical esteja desregulado. As imagens passam tão rápido que não consigo vê-las. Quando eu regulei o ajuste consegui entender melhor. Mas para a minha parceira a confusão era um panorama em *close*. Tanta coisa acontecia ao mesmo tempo e tão perto que ela não conseguia assimilar tudo. Ela teve que diminuir a velocidade e depois se afastar fisicamente para poder tomar distância e compreender melhor.

Homem: O meu parceiro é um cientista. Quando sente-se confuso ele vê filmes das coisas acontecendo — o que ele chama de "matéria bruta". Quando começa a entender, ele vê pequenos diagramas sobrepostos aos filmes. Estes diagramas ajudam-no a condensar os acontecimentos e os filmes ficam cada vez mais curtos até que ele tenha o que chama de "movimento de imagens fixas". Trata-se de uma imagem fixa com um diagrama superposto que indica todas as maneiras diferentes que uma imagem fixa pode transformar-se em filme. Esta imagem fixa ondula ligeiramente. É muito econômico.

Esta é ótima. Faz sentido para vocês? Já temos aqui uma boa variedade.

Mulher: Quando eu realmente entendo algo, tenho cinco imagens diferentes simultaneamente, como uma tela de televisão dividida. Quando estou confusa só tenho uma imagem, indistinta. Mas quando o meu parceiro entende alguma coisa, a imagem fica sempre à sua direita. As coisas confusas ficam no centro e as que não sabe nada a respeito estão à sua esquerda.

Alan: O que a minha parceira faz é bem incomum. A confusão dela está bem nítida e específica, enquanto que a sua compreensão é um filme indistinto, luminoso e fora de foco. Quando ela tornava a confusão indistinta, parecia que conseguia compreender melhor. Eu lhe disse: "Gire o botão e ajuste a lente para desfocá-la".

É possível fazer dessa maneira, mas não é necessário ser metafórico. As pessoas não possuem botões na realidade. Mas você pode dizer-lhes para girá-los. Então, ao tirar a imagem de foco, ela entende. Espero que ela não seja cardiocirurgiã! Esta é uma das coisas mais estranhas que já ouvi. Se tirar a imagem de foco, ela a compreende! É sem dúvida diferente do que já ouvimos antes. Ela também achou esquisito?

Alan: Também. Seria algo como passar a um tipo de processo de nível inconsciente inferior?

Eu não aceito esse tipo de explicação. *Todos* esses processos são inconscientes até que se indague a respeito deles. Existem coisas que podemos fazer intuitivamente, mas não se trata disso. Claro, você pode ter deixado de lado algo importante. Porém, se a sua descrição estiver correta, a compreensão da sua parceira não pode ser conectada a nenhuma ação. Para se poder *fazer* algo são necessários detalhes específicos. É por isso que eu disse que esperava que ela não fosse cardiocirurgiã. Com o tipo de compreensão que ela tem, os seus pacientes não teriam uma taxa de sobrevida muito alta.

No entanto, uma compreensão luminosa indistinta é boa em algumas ocasiões. Por exemplo, com certeza trata-se de alguém que deve ser o que chamamos de "a alma da festa". Deve ser uma pessoa calorosa, porque tudo o que ela precisa para sentir que entende alguém é tornar indistintas as suas imagens. Não é necessário muita informação para criar um filme luminoso e indistinto. Ela pode fazer isto rapidamente e gerar muitas sensações ao assistir a este filme luminoso.

Imagine o que aconteceria se uma mulher assim se casasse com alguém que precisa ver as coisas de uma maneira clara para poder compreendê-las. Ele diria coisas do estilo: "Agora, para tornar as coisas mais claras", o que a confundiria. E quando ela descrevesse as coisas que fazem sentido para ela, ele não compreenderia. Se ele reclamasse que tudo estava confuso, ela sorriria e ficaria satisfeita, mas ele se sentiria frustrado.

O tipo de compreensão que ela possui é o que falei anteriormente, que não tem muito a ver com o mundo exterior. Isto a ajuda a sentir-se melhor, mas não será de grande ajuda na resolução de problemas. Seria bastante interessante que ela tivesse outra forma de compreensão — mais precisa e específica.

No último seminário que dei havia um homem cuja "compreensão" não era muito útil para ele. Assim, ele tentou compreender o processo do seu parceiro. Ao fazer isto, ele teve uma nova maneira de entendimento que lhe abriu as portas de um mundo totalmente diferente.

O que quero dizer é que todos vocês estão na mesma situação daquele homem e daquela mulher que fazem as imagens ficarem indistintas. Não importa o quanto vocês achem que o seu processo de compreensão é bom, haverá sempre lugares e momentos em que outro processo será de maior utilidade. Há pouco, alguém nos descreveu o processo usado por um cientista — pequenas imagens com diagramas. Isto funcionará muito bem no mundo físico, mas eu aposto que ele tem dificuldades para entender as pessoas — que é um problema comum para os cientistas. (Homem: É verdade.) As pessoas são complexas demais para este tipo de pequeno diagrama. Algum outro tipo de compreensão funcionará melhor para as pessoas. Quanto mais maneiras de compreensão existirem, mais você terá possibilidades à sua disposição e maiores serão as suas habilidades.

Gostaria que vocês tentassem experimentar a compreensão de outra pessoa. Façam isto com o mesmo parceiro de antes. Vocês já conhecem alguma coisa a respeito da confusão daquela pessoa e sobre a sua também. Mas é preciso reunir um pouco mais de informação. Vocês já sabem as diferenças entre a sua confusão e a sua compreensão, e a do seu parceiro. Mas nem todas as diferenças foram enumeradas entre a sua compreensão e a confusão do seu parceiro. Vocês já têm bastante informações, mas talvez tenham deixado escapar um ou outro elemento similar ao que foi comparado anteriormente.

Após ter comparado a diferença entre a sua compreensão e a confusão do seu parceiro e reunido as informações pertinentes, escolha um conteúdo que você compreenda bem e transforme-o na confusão do seu parceiro. Em seguida, proceda às modificações necessárias para passá-la à compreensão dele. O seu parceiro poderá agir como consultor, aconselhando-o e respondendo a quaisquer tipos de perguntas que você deseje fazer. Após ter comparado a compreensão, compare a sua experiência com a do seu parceiro, para ver se são iguais. Talvez deixe de lado alguma coisa na primeira tentativa e tenha de voltar e tentar de novo. O objetivo *é ter a experiência da maneira de compreender de outra pessoa.* Depois de experimentá-la, talvez decida que não é muito boa e que não queira usá-la com freqüência. Mas, não tenha tanta certeza assim. Talvez funcione muito bem com um problema qualquer que tenha. Pelo menos, servirá para você entender as pessoas que usam o mesmo processo. Vocês têm 20 minutos para fazer o exercício...

Então, foi interessante? Qual foi a experiência ao usar a compreensão de outra pessoa?

Homem: A minha própria compreensão é bastante detalhada, de forma que consigo entender coisas mecânicas com bastante faci-

lidade. A compreensão do meu parceiro era um pouco mais abstrata: ele enxerga arco-íris indistintos quando entende algo. Quando experimentei a sua maneira de compreensão, não consegui entender coisas mecânicas, mas entendi bem melhor as pessoas. Para dizer a verdade eu não chamaria isto de "compreensão", e sim de sentir o que querem as outras pessoas para reagir melhor a elas. As cores eram magníficas e senti uma espécie de calor e excitamento o tempo todo. Com certeza foi diferente!

Mulher: Quando eu entendo alguma coisa, vejo filmes detalhados do que está acontecendo. Meu parceiro vê duas imagens emolduradas sobrepostas. A imagem que se encontra mais perto é uma imagem associada do que está acontecendo, enquanto que a segunda é uma imagem dissociada do mesmo acontecimento. Ele sente que entendeu quando as duas imagens ficam equiparadas. O meu parceiro é ator, portanto isto é muito útil no seu caso. Quando está representando um papel ele está associado e ao mesmo tempo tem outra imagem dissociada que lhe mostra o que o público está vendo. Quando usei a sua compreensão, tive muito mais informações de como eu deveria ver as outras pessoas. Isto me foi de grande utilidade porque em geral me jogo de cabeça em certas situações, sem parar para refletir sobre como as outras pessoas estão me percebendo.

Isto parece realmente útil. Ao tomarmos para nós a maneira como a outra pessoa compreende, estaremos entrando no universo daquela pessoa. Quantos tinham mais ou menos a mesma maneira de compreender que o seu parceiro?... Cerca de oito em 60. E aqui escolhemos as pessoas ao acaso. É mais fascinante ainda se escolhermos pessoas muito bem-sucedidas. Sou um pragmático. Gosto de saber como pessoas realmente excepcionais fazem as coisas. Um homem de negócios muito bem-sucedido, do Oregon, fazia o seguinte com qualquer projeto que queria entender: ele começava com um diapositivo e aumentava-o até que ficasse panorâmico e ele estivesse dentro dele. Em seguida, transformava-o em filme. Se sentisse dificuldade em ver onde o filme estava indo, ele dava um pequeno passo para trás para se ver no filme. Assim que o filme começava a passar de novo, ele entrava dentro dele. Este é um exemplo bastante prático, relacionado diretamente com ação. Para este homem, entender e fazer algo são uma só coisa.

A compreensão é um processo vital para a sobrevivência e o aprendizado. Se a pessoa não for capaz de entender a sua própria experiência de alguma forma, estará em palpos de aranha. Cada um de nós tem cerca de um quilo e meio de matéria cinzenta que usamos para entender o mundo à nossa volta. Este quilo e meio de matéria gelatinosa pode fazer coisas impressionantes, mas não há como entender completamente alguma coisa. Quando pensamos que entendemos uma coisa, há sempre uma definição do que não sabemos. Como bem disse Karl Popper: "O conhecimento é uma definição sofisticada da ignorância". Há vários tipos de compreensão e alguns são bem mais úteis do que outros.

Um tipo de compreensão ajuda-o a criar justificativas e fornece os motivos para não ser capaz de fazer nada diferente. "As coisas são assim porque... e é por isso que não podem ser mudadas." Onde eu fui criado, chamávamos isto de desculpa de "meia-tijela". Muito da compreensão de "especialistas" com relação a coisas do tipo esquizofrenia e dificuldades de aprendizagem é deste tipo. Parece impressionante, mas, basicamente, trata-se de "Nada pode ser feito a respeito". Pessoalmente, não estou interessado em "compreensões" que acabam num beco sem saída, mesmo que sejam verdadeiras. Prefiro deixá-las em aberto.

Um segundo tipo de compreensão permite-lhe ter uma boa sensação: "Ahhh". A mulher que tira o foco das imagens para compreender é um exemplo disto. É mais ou menos do tipo salivar após ouvir uma campainha: trata-se de uma resposta condicionada e tudo o que acontece é uma boa sensação. Isto é o tipo de coisa que pode levá-lo a dizer: "Ah, sim, o 'ego' é aquele que fica no alto do diagrama. Já vi isto antes. Sim, entendo". Este tipo de compreensão também não o torna capaz de fazer nada.

Um terceiro tipo de compreensão permite-lhe falar sobre coisas que tenham conceitos básicos e, às vezes, mesmo equações. Quantos aqui têm uma "compreensão" sobre um tipo de comportamento de que não gostam, mas ainda assim não conseguem mudá-los? Este é um exemplo do qual estou falando. Conceitos ajudam, mas só numa base experimental, e só se permitirem que se faça algo diferente.

É fácil fazer com que se aceite uma idéia conscientemente, mas é raro que isto leve a uma mudança no comportamento. Isto é demonstrado por todas as religiões do mundo. "Não matarás" é um exemplo. Não há o "exceto...". No entanto, nas cruzadas, matavam-se alegremente os muçulmanos, e a Maioria Silenciosa quer mais mísseis para matar mais alguns milhões de russos.

Com freqüência perguntam-me nos seminários: "A pessoa visual corresponde ao 'pai' em AT?". Isto demonstra que estão tomando o que estou ensinando e colocando nele conceitos que eles já possuem. Se você conseguir encaixar algo de novo dentro de conceitos que já possui, não aprenderá nada e o seu comportamento tampouco mudará. Você terá uma sensação confortável de compreensão, uma complacência que o impedirá de aprender qualquer coisa nova.

Ao terminar uma demonstração de como mudar uma pessoa em alguns minutos, muitas vezes alguém pergunta: "Você não acha que ela estava só preenchendo as expectativas da situação do seu papel?". Há pessoas que participam de um seminário e não ganham nada, porque saem com o mesmo tipo de conhecimento com que chegaram.

O único tipo de conhecimento que me interessa é aquele que lhe permite *fazer* alguma coisa. Todos os nossos seminários ensinam este tipo específico de Técnica. Parece simples. Mas, às vezes, o que eu ensino não se encaixa com a sua compreensão existente. A coisa mais saudável que se pode fazer agora é ficar confuso e muita gente se queixa de que eu sou muito confuso. Eles não percebem que *a confusão é o caminho para uma nova percepção*. A confusão é uma oportunidade para se redispor a experiência, organizando-a de uma forma diferente da habitual. Isto vai permitir à pessoa aprender algo de novo e ver e ouvir o mundo de uma forma diferente. Espero que

106

o último exercício tenha possibilitado a vocês uma experiência concreta da maneira como isto funciona e o tipo de impacto que pode ter.

Se vocês entenderam tudo o que eu disse sem nunca ficarem confusos, sem dúvida é um sinal de que vocês não aprenderam nada de importante e estão desperdiçando o dinheiro que pagaram. Isto significa que vocês continuam a perceber o mundo da mesma maneira que quando chegaram aqui. Assim, sempre que ficarem confusos, fiquem estimulados pelo novo conhecimento que os espera. E podem ficar gratos pela oportunidade de ir para um novo lugar, mesmo que não saibam aonde isto vai levá-los. E se não gostarem deste novo lugar, nada os impede de deixá-lo. No mínimo, terão tido a oportunidade de adquirir mais um conhecimento, e saber que não gostam dele.

A compreensão de algumas pessoas inclui um certo grau de incerteza. Conheço um engenheiro cuja compreensão é composta de uma matriz de imagens retangular, com oito colunas verticais e oito horizontais formando pequenos quadrados. Ele começa a achar que entende algo quando cerca da metade da matriz está preenchida com imagens. Quando chega a 90 por cento da matriz, significa que já compreende algo bastante bem. No entanto, a sua matriz tem sempre alguns quadrados que continuam vazios, significando que a sua compreensão é sempre incompleta. Isto evita que ele se sinta seguro demais a respeito de alguma coisa.

A compreensão de uma das minhas melhores alunas é um filme dissociado dela mesma com o que quer que seja que ela entende. Quando ela realmente quer fazê-lo, entra no filme — fazer e compreender são quase idênticos. Atrás do filme há uma sucessão de filmes dela própria fazendo algo em diferentes situações, vencendo obstáculos etc. Quanto mais filmes diferentes ela tiver, mais tem certeza de que compreendeu realmente bem alguma coisa. Uma vez eu lhe perguntei: "Quantos filmes são necessários para poder compreender algo?". Ela respondeu: "É sempre uma questão de *quão bem* eu entendo alguma coisa. Se eu tenho poucos filmes, isto me dá um pouco de compreensão. Se tenho mais, compreendo melhor. Quanto mais filmes diferentes, mais compreensão eu tenho. Mas nunca entendo completamente."

Por outro lado, há pessoas que têm certeza absoluta de que entenderam algo se tiverem um único filme deles próprios fazendo o que querem fazer. Conheço um homem que pilotou uma única vez um avião e ficou absolutamente seguro de que podia pilotar qualquer tipo de avião, em qualquer tipo de circunstância, quaisquer que fossem as condições meteorológicas. Certa vez ele freqüentou um dos nossos seminários de cinco dias de duração, aprendeu um dos padrões e saiu no final da manhã do primeiro dia, totalmente confiante de que sabia tudo sobre PNL. Isto é o que eu chamaria de bloqueio.

A causa das três maiores pragas da humanidade sobre as quais eu gostaria de poder fazer alguma coisa é ficar preso em uma forma específica de percepção do mundo — qualquer que seja ela. A primeira delas é a seriedade, como, por exemplo, "Se levar a sério". Se você decidiu que quer fazer alguma coisa, tudo bem, mas levar isto a sério demais simplesmente turvará a sua visão e vai atrapalhá-lo.

Estar certo, ou seguro, é a segunda praga. A certeza é o ponto onde as pessoas param de raciocinar e de prestar atenção. Sempre que a pessoa estiver completamente segura de alguma coisa é um sinal de que ela deve estar deixando de levar alguma coisa em consideração. Às vezes, pode ser conveniente ignorar, deliberadamente, algo por um certo tempo, mas caso você esteja absolutamente seguro, você nunca conseguirá perceber nada.

É muito fácil ficar-se preso à certeza. Mesmo quem não está certo em relação a algo, tem *certeza* disso, em geral. Ou bem as pessoas têm certeza de que tem certeza ou têm certeza de que não têm certeza. Raramente encontraremos alguém que não tenha certeza da sua dúvida ou da sua certeza. Esta experiência pode ser criada, mas não encontrada. Pode-se perguntar a alguém: "Tem certeza o bastante para ficar incerto?". É uma pergunta estúpida, mas ele não terá tanta certeza assim, depois que você a fizer.

A terceira praga é a importância, e a auto-importância é a pior de todas. Assim que uma coisa torna-se importante, então as outras não o são. A importância é uma ótima justificativa para se fazer algo que seja desagradável o suficiente sem precisar de justificativas.

Estas três pragas são a maneira como as pessoas ficam bloqueadas. Pode-se decidir que algo é importante, mas não tome isto realmente a sério, a não ser que se esteja certo de que é importante. Neste ponto, pára-se de raciocinar. O Aiatolá Khomeini é um excelente exemplo disto — mas podemos citar vários outros mais próximos de nós.

Uma vez parei em frente a uma mercearia, numa cidade do interior perto de onde morava. Um homem veio correndo e disse, raivosamente: "Meu amigo me disse que você esbarrou em mim".

"Acho que não. Você quer que eu o faça?"

"Vou lhe dizer uma coisa..."

Eu disse: "Espere um pouco", entrei na loja e fiz as minhas compras.

Quando saí da loja, ele ainda estava lá. Quando me dirigi ao carro, ele estava vermelho de raiva. Eu entreguei a ele um dos sacos de compras e ele o segurou. Abri a porta do carro, coloquei os outros três sacos, peguei o saco que ele estava segurando, coloquei-o também dentro do carro, entrei e fechei a porta. Depois, eu disse: "Tudo bem, já que insiste", dei-lhe um safanão e fui embora.

Ele ficou lá, rindo histericamente, porque eu simplesmente não o levei a sério.

Para a maioria das pessoas, "ficar bloqueado" é querer algo e não conseguir. Poucas pessoas são capazes de parar por um momento e questionar a sua certeza de que aquilo é realmente importante para elas. Há outra maneira de se sentir bloqueado que ninguém percebe: *Não querer algo e não consegui-lo*. Esta é a maior de todas as limitações porque a pessoa nem percebe que está numa situação sem saída. Gostaria que parassem para pensar em algo que para vocês é algo de útil, prazeroso ou apreciável...

Agora quero que voltem atrás, a um período da vida de vocês, quando vocês nem sabiam da existência dessa coisa, ou, se sabiam, não era importante para vocês...

Vocês não se davam conta do que estavam perdendo, não é mesmo? Vocês nem tinham idéia de como estavam presos naquela situação e não se sentiam motivados a mudá-la. Estavam certos de que a sua compreensão era uma representação correta do mundo. E é aí que se está *realmente* bloqueado. E o que estão perdendo agora?...

A certeza é uma das coisas que mais impede o progresso da humanidade. No entanto, a certeza é, como qualquer outra coisa, uma experiência subjetiva que pode ser mudada. Escolha uma lembrança bem detalhada de quando você tinha certeza absoluta de que compreendia alguma coisa. Uma experiência de aprendizado: talvez estivessem ensinando-lhe alguma coisa. Talvez fosse difícil, talvez fosse fácil, mas em um certo ponto você teve aquela sensação de "Ah, sim! Entendi!". Lembre-se com o máximo de detalhes possível...

Agora quero que vocês se lembrem de tudo de *trás para frente*, como um filme sendo rebobinado...

Quando tiverem terminado, pensem naquilo que aprenderam ou compreenderam. É a mesma coisa que há poucos minutos atrás?

Marty: Quando eu passei o filme, fui de um estado de confusão a "Aha! Entendi!". Depois, quando passei o filme de trás para frente, acabei no ponto em que estava confuso.

109

Sim, é isto que acontece ao se passar o filme de trás para frente. Qual é a sua experiência agora, quando pensa sobre o que você tinha certeza de que tinha compreendido, há pouco?

Marty: Bem, eu voltei ao estado de confusão, mas uma parte de mim mesma ainda tem aquele entendimento que tive posteriormente. Não consigo reconstruir o mesmo sentimento total de confusão que eu tive a primeira vez. Mas, tampouco, estou tão certa quanto antes.

E vocês? Aconteceu a mesma coisa?

Ben: Olhe, aprendi algo do qual não tinha consciência antes, sobre o que aconteceu comigo durante a experiência.

Isto é interessante, mas não foi o que perguntei. Quero saber se a sua experiência sobre o que aprendeu é diferente?

Ben: Não houve nenhuma diferença.

Nenhuma diferença? Pare e pense um pouco. Não é possível dizer: "Ah, é a mesma coisa". É o mesmo que dizer: "Tentei aprender a pilotar, mas não consegui nem chegar ao avião, então não deu certo...".

Ben: Bem, é interessante que tenha mencionado pilotagem, porque o que lembrei foi quando estava aprendendo a descer de avião na água — a sensação daquele contacto com a água. Quando lembrei de trás para frente, eu saí de dentro da sensação, e para fazer o avião ir de trás para frente, tive que vê-lo à distância. Isto deu uma nova dimensão ao aprendizado do contacto com a água.

Isto lhe deu uma nova perspectiva. Agora, você sabe algo a mais sobre aterrissar do que antes?

Ben: Sim.

O que *mais* vocês não sabem? Ainda? Isto é muito, só por terem passado um filme de trás para frente. Muitas pessoas passam o filme todo para aprenderem com a experiência, porém poucos o fazem de trás para diante. A experiência continua a mesma?

Sally: Não. Os detalhes mudaram. Mudou aquilo que me chama a atenção. A seqüência dos acontecimentos foi ordenada de maneira diferente.

A seqüência foi ordenada de maneira diferente. E o que você aprendeu, está diferente?

Sally: Sim.

Diferente, como? Você sabe algo que não sabia antes? Ou que poderia fazer de forma diferente, agora?

Sally: A base do conhecimento não mudou. O que eu aprendi não mudou, mas a maneira como me sinto em relação ao aprendizado e como eu o percebo está mudado.

Isto teve alguma influência sobre o seu comportamento?

Sally: Sim.

Muitos de vocês aprenderam muito só por terem se dado um minuto para passar uma experiência de trás para frente. Já pensaram o quanto vocês aprenderiam se passassem todas as suas experiências de trás para frente? Sabem, Sally está absolutamente certa. O fato de passar um filme de trás para frente muda a *seqüência* da experiência. Pensem em duas experiências: 1) ser capaz de fazer algo, e 2) ser incapaz de fazer algo. Primeiro passem a seqüência 1-2, primeiro capaz e segundo incapaz de fazer algo... Agora passem a seqüência 2-1, primeiro incapaz e depois capaz de fazer algo... É bem diferente, não acham?

As experiências que vocês tiveram na vida aconteceram numa certa seqüência. Grande parte desta ordem não foi planejada, simplesmente aconteceu. Grande parte da compreensão que têm baseia-se numa seqüência mais ou menos aleatória. Como vocês só têm uma única seqüência, só existe um conjunto de compreensão, o que vai limitá-los. Se os mesmos fatos tivessem acontecido numa outra ordem, a sua compreensão deles teria sido diferente e as suas reações também.

Vocês têm toda uma história pessoal que é a fortuna que vão usar para progredir no futuro. A maneira como vocês a usarão vai determinar o que ela vai produzir. Se só tiverem uma maneira de usá-la, estarão se limitando. Haverá uma série de coisas que vocês não vão notar, muitos lugares onde nunca irão e uma série de idéias que nunca terão.

Passar uma experiência de trás para frente e de frente para trás são apenas duas das maneiras de se colocar em seqüência uma experiência. Se dividirmos um filme em apenas quatro partes, haverá outras 22 seqüências a serem experimentadas. Se o dividirmos em mais partes, o número de seqüências será ainda maior. Cada uma delas terá um significado diferente, da mesma maneira que uma seqüência de letras diferentes cria palavras diferentes e seqüências diferentes de palavras criam sentidos diferentes. Muitas das técnicas da PNL são simplesmente maneiras de mudar a seqüência das experiências.

Gostaria de ensinar a vocês o que eu acho ser um dos passos mais importantes na evolução da sua conscientização: *desconfiem*

111

do sucesso. Sempre que ficarem seguros de algo que já realizaram bem várias vezes, quero que desconfiem do que podem *não estar notando*. Quando algo estiver dando certo, isto não quer dizer que outras coisas não funcionariam também ou que não existam outras coisas interessantes que podem ser feitas.

Muito tempo atrás algumas pessoas descobriram que poderiam extrair um líquido preto e grudendo do solo e queimá-lo em lamparinas. Depois descobriram como queimá-lo em grandes caixas de metal e as colocaram para andar. Pode-se agora queimar este líquido na extremidade de um tubo e enviá-lo à Lua. Mas isto não quer dizer que não existam outras maneiras de se fazer estas mesmas coisas. Daqui a cem anos as pessoas vão olhar para a nossa economia de "alta tecnologia" e balançar a cabeça, do mesmo modo que fazemos quando pensamos nas carroças puxadas por bois.

A verdadeira inovação poderia estar à mão desde o início. Imaginem o que poderia ter sido feito de interessante se aquelas pessoas tivessem pensado: "Incrível, isto funciona mesmo! O que *mais* poderia ser feito? Que *outras* maneiras existem para se movimentar alguma coisa, além de usar caixas de metal e de voar em tubos de metal?". Quanto mais sucesso se tem, mais fica-se seguro e menos se pára, a fim de pensar: "O que é que não estou fazendo?" O que estou lhes ensinando agora funciona, mas quero que vocês pensem no que poderia funcionar ainda melhor.

VII

PARA ALÉM DAS NOSSAS CONVICÇÕES

Outra maneira de entender o comportamento é que ele é organizado em torno de algumas coisas duráveis, chamadas de "convicções". Sempre que alguém diz que algo é ou não importante, está se baseando numa convicção íntima. Podemos pensar em qualquer comportamento como sendo mobilizado pelas convicções que temos. Por exemplo, vocês não estariam aqui, aprendendo PNL, se não acreditassem que seria interessante, ou útil, ou, de alguma maneira, valioso. Pais não passariam tanto tempo com os seus filhos pequenos se não acreditassem que isto seria bom para a formação deles. Antigamente, os pais não gostavam que seus filhos recebessem estímulos demais porque achavam que isto os tornaria hiperativos. Agora dão-lhes muitos estímulos porque acreditam que isto ajuda o seu desenvolvimento.

As convicções são realmente fenomenais. Podem fazer com que pessoas absolutamente encantadoras saiam matando gente por causa de um ideal e sintam-se bem a respeito. Do momento que conseguimos encaixar um comportamento dentro do sistema de convicções íntimas de uma pessoa, podemos conseguir com que façam qualquer coisa ou impedi-los de fazer qualquer coisa. Foi isto que fiz com aquele pai que não queria que sua filha fosse uma prostituta. Assim que lhe mostrei que o seu comportamento abusivo era o mesmo dos cafetões, nada mais podia fazer, sem violar as suas próprias convicções. Eu não o forcei a parar "contra a sua própria vontade", o que quer que isto signifique. Eu fiz com que a mudança se encaixasse dentro do seu sistema de convicções de forma tão completa que ele simplesmente não tivesse escolha.

Também, convicções podem ser mudadas. Não se nasce com elas. Todos acreditamos em coisas, quando crianças, que agora consideramos ridículas. E há coisas nas quais acreditamos agora, que sequer nos passariam pela cabeça antes... como este seminário, por exemplo.

A palavra "convicção" é, de certo modo, um conceito vago para a maioria das pessoas, mesmo quando elas estão dispostas a matar por ela. Gostaria de demonstrar de que são feitas as convicções e mostrar a maneira de mudá-las. Gostaria que alguém que tenha uma convicção sobre *si mesmo* que fosse diferente. Quero que pense em uma convicção que o limite, de uma certa maneira. Convicções íntimas a respeito de si mesmo são mais úteis de serem modificadas do que aquelas sobre o mundo. Assim, escolham uma convicção que, se mudada, faria uma grande diferença.

Lou: Tenho uma assim.

Como se outros não tivessem! Não diga do que se trata. Quero que pense nesta convicção que preferia não ter... Agora, deixe de lado esta experiência e pense em algo sobre o qual tem dúvidas. Pode ser verdade ou não. Você não tem muita certeza...

Agora quero que me conte de que forma estas duas experiências de convicção e dúvida são diferentes. Quero que faça a mesma coisa que fizemos antes com Bill, a respeito de sua compreensão e confusão.

Lou: Bem, a minha convicção é uma imagem grande. É luminosa, vívida e cheia de detalhes. A dúvida é bem menor. É mais difusa e indistinta e fica como que acendendo e apagando.

Muito bem. São diferenças bem especificadas, não posso deixar de observar que a sua convicção encontra-se bem na sua frente, enquanto que a dúvida está acima e à direita. Há mais diferenças?

Lou: Bom, a convicção preenche quase que inteiramente uma grande moldura e não há praticamente lugar para um segundo plano. A dúvida tem um segundo plano bem maior e não tem moldura.

O próximo passo é pegar a lista das diferenças e *testá-las uma a uma*, para descobrir qual delas é a mais eficaz na transformação da convicção em dúvida. Por exemplo, Lou, pegue a imagem da convicção e tente diminuí-la...

Lou: Parece um pouco menos real, mas não muda muito.

Convicção	Dúvida
Grande	Pequena
Luminosa e vívida	Vaga e escura
Detalhada	Indefinida
Estável	Intermitente
Em frente	Acima e à direita
Emoldurada	Sem moldura
Segundo plano indefinido	Segundo plano bem definido

Muito bem. Faça-a voltar ao tamanho original, e tente remover a moldura da imagem da convicção, para enxergar melhor o segundo plano...

Lou: Quando faço isso, a imagem fica automaticamente menor, e menos impressionante.

Ótimo. Assim a moldura aumenta o tamanho e tem mais impacto que o tamanho em si. Faça-a voltar ao tamanho anterior e mude o foco da imagem de convicção para torná-la indefinida.

Lou: Não muda muito.

Faça a imagem da convicção voltar ao que era e escureça-a...

Lou: Quando eu faço isso ela começa a piscar, um pouco como a dúvida.

Assim, quando ao mudar a luminosidade, a intermitência das luzes também muda. Modifique-a outra vez e depois mude de posição a imagem da convicção. Passe-a do centro do seu campo visual para a sua direita...

Lou: Estranho. Sinto-me meio no ar e meu coração disparou. Quando eu começo a mudar a posição, todas as outras coisas começam a mudar também. Ficam menores, menos claras e fora de foco. A moldura desaparece e a imagem começa a piscar.

Ótimo. Coloque esta imagem de volta à sua frente. A localização da imagem modifica todos os outros elementos, então esta é a submodalidade que é mais poderosa para Lou, ao transformar algo de convicção em dúvida. Antes de fazermos isso temos de colocar algo em seu lugar. Lou, sabe que convicção gostaria de colocar no lugar da que você tem agora?

Lou: Bem, nunca parei para pensar nisso.

Comece a pensar agora e *pense em termos positivos*, não em negativos. Pense no que você quer acreditar e não no que não quer acreditar.

Quero que coloque uma moldura na convicção não em termos de um fim ou objetivo, mas em termos de *processo* ou *habilidade* que resultaria em você atingir o objetivo. Por exemplo, se você quer acreditar que sabe PNL, mude a convicção para que possa prestar atenção e aprender a responder às informações recebidas, para poder aprender PNL

Lou: Já sei no que quero acreditar.

Esta nova convicção está colocada em termos positivos, sem negações, e tem a ver com um processo levando a um objetivo, em vez do objetivo em si mesmo, certo?...

117

Lou: Sim.

Ótimo. Agora vamos fazer o que chamo de teste ecológico. Quero que pare para pensar em como agiria se já possuísse esta nova convicção e pense em várias maneiras em que esta mudança poderia ser problemática para você, ou para as pessoas próximas a você, ou com quem você trabalha...

Lou: Não vejo nada que possa ser problema.

Ótimo. Então chamaremos isto de "nova convicção". Deixe-a de lado por um instante.

Quero que pegue a grande imagem da convicção que você não gosta e leve-a para onde se encontra a sua dúvida. Ao fazer isto, a imagem perderá a sua moldura e ficará mais escura, menor, menos distinta e começará a piscar...

Lou: É. Está no lugar da dúvida e parece com outra imagem da dúvida.

Muito bem. Quando começar a piscar, faça a imagem da antiga convicção desaparecer e coloque no seu lugar a imagem da nova convicção piscando também...

Lou: Certo. A nova imagem está piscando no lugar da antiga.

Agora, pegue a imagem da nova convicção e coloque-a no centro do seu campo visual. Ao fazer isto, observe como uma moldura aparece e fica maior, mais luminosa, mais acentuada e mais vívida...

Lou: Mas, é incrível! Está agora exatamente no lugar da antiga convicção. Sinto como se o meu corpo todo tivesse sido libertado de uma prisão, e posso sentir que meu rosto está mais rubro.

Certo. Há várias outras mudanças positivas acontecendo também. Dê um minuto ou dois para que essas mudanças se sedimentem, enquanto respondo a uma ou duas perguntas.

Homem: Por que não podemos simplesmente pegar a convicção desejada e transformá-la em uma nova convicção — como fizemos com a confusão e a compreensão?

Quando transformamos a confusão em compreensão, não havia nenhuma outra compreensão no caminho. Pode-se até mesmo ter várias compreensões do mesmo conteúdo, sem que sejam naturalmente conflitantes. Uma convicção é muito mais universal e categórica do que uma compreensão. Quando já se tem uma convicção, não há lugar para uma nova, a não ser que antes se tenha enfraquecido a antiga. De maneira característica, a nova convicção é o oposto da nova, e muito diferente, de certa forma. Já tentaram conven-

118

cer alguém sobre algo que é o oposto daquilo que ela já acredita? Normalmente, a convicção que ele já possui vai impedi-lo até de querer examinar a nova. Quanto mais forte a convicção, mais isto será verdadeiro.

Raciocinem comigo. Digamos que uma pessoa acredite que "X é bom", e que se consiga substituí-la por uma nova convicção de que "X é ruim" sem mudar a antiga convicção. O que estaríamos fazendo?... O que poderia acontecer se alguém crê firmemente em duas idéias contraditórias?... Uma das formas de se lidar com a situação é tornando-se uma pessoa com múltipla personalidade. Uma convicção organiza a pessoa de uma certa maneira, durante algum tempo. Depois, a outra assume o comando e reorganiza a pessoa de uma maneira bem diferente. Isto não é o que eu chamaria de mudança evolucionária.

Mulher: Queria saber a respeito da sensação "flutuante" de que Lou falou quando tentou mudar da primeira vez a posição da imagem da convicção.

Bom, este tipo de reação indica duas coisas. Uma é que descobri uma mudança de submodalidade que faz realmente uma grande diferença na experiência dela. A outra é que ela ainda não possui outra convicção para colocar no lugar da antiga. Já aconteceu com vocês de terem uma experiência que abalasse uma antiga convicção, sem ter ainda nada para colocar no seu lugar? Algumas pessoas ficam num estado de confusão durante alguns dias, até que se reorganizem. Isto acontece com freqüência com quem acabou de ser despedido, ou quando um amigo ou parente morre. Conversei uma vez com um homem que tinha tido uma convicção importante abalada por um dos seus professores da faculdade de filosofia. Ele me contou que abandonou a faculdade e ficou num estado completamente nebuloso por seis meses. O que eu quero, portanto, é ter uma nova convicção "esperando nos bastidores", antes de enfraquecer para sempre a antiga.

Agora, voltemos a Lou, para um pequeno teste. Lou, a nova convicção ainda está presente?

Lou: (Olha em frente e desfocaliza o olhar.) Sim. Não paro de verificar para ter certeza. Foi difícil, para mim, acreditar que seria tão fácil assim.

O que acontece quando você pensa na antiga convicção?

Lou: (Olha para cima e para a esquerda e sorri.) Parece um pouco esvaziada agora.

E não está no local onde se encontrava. Esta é uma maneira de verificar o que eu fiz, e presto mais atenção às suas pistas não-verbais do que às suas palavras. Agora, veremos um pequeno seguimento de caso, que dura cinco minutos. (Ver apêndice IV, para maiores informações sobre o videocassete da demonstração deste Padrão de Mudança de Convicção.)

Quero que todos experimentem este padrão em grupos de três. Um será o programador; o segundo, o cliente; e o terceiro, o observador/consultor. Vamos rever todas as etapas antes de começarem.

Padrão de Mudança de Convicção

A. Coleta de Dados e Preparação

1. Convicção: "Pensem em uma convicção íntima sobre si mesmos que gostariam de não ter, porque os limita de certa forma, ou tem conseqüências indesejáveis. De que forma vocês representam esta convicção dentro da sua experiência interna?".

2. Dúvida: "Agora pensem em alguma coisa em que vocês tenham dúvida. Pode ser ou não verdade: vocês não têm certeza. De que maneira esta dúvida está representada na sua experiência interna?".

Quando pedirem à sua parceira para pensar em algo que suscite dúvidas, certifiquem-se de que se trata realmente de uma incerteza. Se ela disser algo do estilo "Duvido que seja uma boa idéia", o que isto significa é que ela *acredita* que não é uma boa idéia. Uma dúvida varia entre pensar que pode ser verdadeiro e pensar que não é. A pessoa simplesmente não sabe.

3. Diferenças: Façam uma análise comparativa para descobrir as diferenças de submodalidades entre a Convicção e a Dúvida, e enumerem-nas como fizemos com a confusão e a compreensão.

4. Teste: Testem cada uma das submodalidades da lista de diferenças, *uma a uma*, para descobrirem quais são aquelas que transformam mais a convicção em dúvida. Após testarem uma das submodalidades, coloquem-na de volta ao seu lugar, antes de testar a próxima.

5. Nova Convicção: "Que nova convicção vocês gostariam de colocar no lugar desta que vocês não gostam?" Certifiquem-se de que esta nova convicção é afirmada em termos *positivos*, sem negações. "Posso aprender a mudar em resposta as informações recebidas" em vez de "Não seria incapaz de mudar o que faço."

120

Também, façam com que o seu parceiro pense na nova convicção em termos de *habilidade* ou *processo*, no lugar de objetivo já atingido. "Acredito que posso aprender a diminuir e manter o meu peso" é uma convicção útil. "Peso 55kg." Já não é tão útil, principalmente se a pessoa pesa 90kg! Queremos mobilizar novas habilidades, não criar novas ilusões.

Será também necessário fazer o teste ecológico: "Se você tivesse esta nova convicção, seria possível que ela lhe causasse problemas?". "De que maneira o seu marido e família reagiriam a essa sua nova convicção?" "De que forma essa nova convicção afetaria o seu trabalho?" etc. Modifique a nova crença, levando em considerações as possíveis dificuldades.

Não é necessário que o seu parceiro lhe conte qual é a sua nova convicção. Basta uma palavra para identificar este novo conteúdo.

B. *Processo de Mudança de Convicção*

6. *Da Convicção para a Dúvida:* Mantendo o mesmo conteúdo, transforme a convicção indesejada em dúvida, usando uma ou mais das submodalidades intensas, descobertas na etapa 4. Por exemplo, se a duas diferenças mais expressivas eram de filme para diapositivo, e filme panorâmico próximo para imagem emoldurada distante, faça com que a velocidade do filme panorâmico diminua até chegar a um diapositivo fixo, afastando-se ao mesmo tempo e transformando-se em uma foto emoldurada.

7. *Mudança de Conteúdo:* Usando *qualquer outra* submodalidade, mude o conteúdo da antiga convicção indesejável para a nova convicção. Use algo que a sua parceira já faz, ou qualquer método análogo. Por exemplo, se ela movimenta a imagem de trás para frente, no caso da dúvida, ela poderá se movimentar, indo do velho conteúdo para o novo. Pode-se também colocar a antiga imagem de convicção numa distância tão grande que se torne impossível dizer do que trata, e fazê-la voltar já com a imagem da nova convicção. Pode-se fazer com que a imagem se torne tão luminosa ou tão escura que o velho conteúdo desapareça, e trazê-lo de volta com o novo conteúdo, e assim por diante.

8. *Da Dúvida para a Convicção:* Mantendo o novo conteúdo, mude a dúvida para a convicção, *revertendo* as mesmas mudanças de submodalidade que usou na etapa 6. Se, ao mudar a localização para a direita, também a antiga convicção transformou-se em dúvida, mude agora a localização para a esquerda, novamente, para trans-

formar o novo conteúdo, de dúvida em convicção. Ao fazer isto, preste bastante atenção a qualquer "resistência," ou dificuldade que o seu parceiro sinta. Se a nova convicção não for bem especificada, ou se contiver negações, alguma parte da pessoa talvez levante objeções. Ao encontrar objeções, leve-as em consideração, reúna as informações necessárias e volte à etapa 5 para redefinir a nova convicção.

C. Teste

9. Há Várias Maneira de Testar: Pode-se perguntar: "O que você acha desta nova convicção?". Peça informações a respeito das submodalidades e use um comportamento não-verbal para confirmar (ou negar) a afirmação verbal.

10. Quando a nova convicção estiver no lugar, a antiga irá provavelmente modificar as submodalidades de descrença. Se vocês descobrirem de que maneira a antiga convicção está representada agora, poderão compará-la com as submodalidade da dúvida, que podem ser descobertas ao se pedir à pessoa que pense em algo em que ela esteja convicta de que não acredita.

Já disse que um bom trabalho em PNL é 95% de informação e 5% de intervenção. Os primeiros cinco passos tratam da organização do caminho para a intervenção. Isto faz com que o trabalho em si da intervenção seja fácil e rápido. Lembrem-se de que o cérebro trabalha rápido, ele não aprende lentamente. Se tudo estiver organizado com antecedência, fica muito mais fácil fazer um bom trabalho. É o mesmo que organizar uma fileira de dominós. Depois só é necessário empurrar o primeiro.

Experimentem agora este padrão, em grupos de três. Sei que alguns têm perguntas a fazer. Muitas delas serão respondidas pelo exercício em si. As que não o forem, tornar-se-ão mais interessantes por já terem adquirido uma certa experiência ao experimentar o padrão. As minhas respostas também farão muito mais sentido para vocês.

Agora que já experimentaram o padrão, podemos passar às perguntas e aos comentários.

Homem: Quando eu fiz a mudança de convicção, tive profundas sensações internas. Eu senti com se houvesse vários peixinhos nadando ao redor do meu cérebro e do meu corpo, e as duas pessoas que estavam observando viram vários sinais significativos. Isto é comum?

122

Quando se trata de uma convicção profunda é comum. Este tipo de convicção é responsável pela maneira como está organizado o comportamento da pessoa.

Ao se modificar uma convicção profunda, há sempre uma profunda reorganização interna. Se for uma convição menos profunda, as mudanças não serão tão evidentes.

Homem: Achei difícil pensar em uma convicção útil para substituir.

Mulher: Há *anos* venho lutando para perder os últimos três quilos, para chegar ao meu peso ideal. Para mim, é fácil chegar *perto* do meu peso, mas sempre acreditei que tinha que lutar e me controlar para perder esses últimos três quilos. Assim, mudei a minha convicção de que era *difícil*, para a de que será fácil perder estes últimos quilos. Que alívio, sinto-me tão mais relaxada.

Homem: Trabalhei com ela e foi ótimo vê-la passar pelas mudanças todas. O seu rosto, a sua voz, o seu corpo — tudo ficou muito mais relaxado depois.

Mulher: Eu tinha uma coriza e mudei a minha convicção de que não podia fazer nada a respeito. Fiquei surpresa por sentir que o meu nariz parava de escorrer.

Homem: Eu comecei com a convicção de que era perigoso dirigir à noite sem óculos. Queria mudá-la para a de que era seguro dirigir sem óculos à noite. Então, o meu parceiro observou que a minha convicção desejada era um objetivo e que podia ser perigoso ter essa convicção. Eu poderia guiar à noite *pensando* que estava seguro sem estar, na realidade. Assim, mudei a convicção para a que *posso aprender* a dirigir com segurança à noite sem usar óculos. Acho que eu estava trabalhando com a convicção muito mais geral de que não podia aprender, *ponto final*. Agora tenho a impressão de que isto vai mudar muitas outras coisas, além de apenas dirigir à noite. Parece muito mais abrangente.

Ótimo. Mudar a convicção de que não se pode aprender algo é muito útil para muita gente, porque elas às vezes tentam uma única vez, não conseguem e concluem que não conseguiriam aprender. Conheço um homem que "sabia" que não ia conseguir aprender piano. "Uma vez eu me sentei ao piano e tentei aprender, mas não consegui." Eu então comecei a trabalhar com a convicção de que, do momento que se tenha as células do cérebro intactas, é possível fazer qualquer coisa. Talvez seja preciso segmentar a tarefa, ou aprendê-la de forma *diferente*, e pode até levar algum tempo para se conseguir aprender bem, mas se partirmos do princípio de que podemos aprender, já será meio caminho andado. A minha convicção pode até estar errada às vezes, porém ela me possibilita fazer coisas e conseguir resultados que nem poderia imaginar se fosse pressupor que as pessoas são geneticamente incapazes.

Homem: Muitas pessoas estão usando a técnica de andar sobre brasas para modificar os limites de convicção das pessoas. O que você acha disso?

Se alguém crê que não pode andar sobre brasas e descobre que isto é possível, isto pode com certeza abalar uam antiga convicção, sobretudo se lhe disserem: "Se você consegue andar sobre brasas, pode fazer qualquer outra coisa!". No entanto, não há como especificar o que colocar no lugar da antiga convicção. Eu li sobre uma pessoa que depois de ter andado sobre brasas disse: "Agora acredito que sou capaz de ficar em pé no meio de uma explosão nuclear e isto não me afetaria". Se ele tiver sorte, nunca terá de testar esta nova convicção, mas é um exemplo do tipo de convicção estúpida que pode ser criada. Se criarmos convicções desta natureza, o que pode acontecer é que as pessoas vão ter convicções que não têm uma base sólida de informações ou de provas concretas. Um dos professores desta técnica de caminhada sobre as brasas se autodenomina "o mais moderno instrutor de PNL", quando nem freqüentou os cursos intermediários, quanto mais o do certificado de instrutor! Algumas das suas outras convicções são ainda menos evidentes.

Conheço algumas pessoas que conseguiram fazer mudanças bastante úteis através da caminhada sobre brasas. Mesmo um relógio parado dará a hora certa duas vezes ao dia. O problema com esta técnica é que as pessoas têm pouco controle sobre a nova convicção que toma o lugar da antiga. Já existem crenças esquisitas e perigosas em número suficiente no mundo para que acrescentássemos outras aleatoriamente.

Um outro problema com uma coisa do tipo da caminhada sobre as brasas é que ela quase sempre cria a convicção de que é necessário um fato externo dramático para fazer a pessoa mudar. Preciso criar a convicção de que *as mudanças acontecem sem cessar e facilmente, e para que elas funcionem é preciso compreender como comandar o seu cérebro.* E para tal, não é necessário andar em cima de brasas.

Agora, é completamente diferente julgar se é realmente difícil ou não caminhar sobre brasas, ou se as seis horas de preparação evangélica fazem qualquer diferença para se conseguir ou não fazer a caminhada. Um repórter do *Rolling Stone* marcou o tempo da caminhada, e a média era de 1.7 segundos, com uma variação de 1.5 a 1.9 segundos. A distância era de cerca de 3 metros, de forma que era possível cobrir a distância com quatro passos — dois em cada pé. Isto dá um máximo de menos de meio segundo de contato real por passo dado. Fala-se muito também sobre a temperatura das brasas — 1.400 a 2.000 graus —, mas não mencionam o fato de que o pé só tem dois contatos com as brasas e que só duram menos de meio segundo cada. Quando pegamos um pedaço de carvão que caiu no tapete para jogá-lo de volta à lareira o contato que se tem é mais ou menos idêntico — sendo que os dedos são muito mais sensíveis do que os pés.

É necessário uma *transferência* de calor para que haja queimadura, não apenas temperatura, e o tempo de contato é apenas um dos fatores na transferência de calor. O outro fator é a condutividade. Digamos que você esteja numa cabine nas montanhas e ao se levantar de manhã e a temperatura seja de 20 graus abaixo de zero, o seu pé encosta num pedaço de metal enquanto que o outro encosta num tapete de pele de carneiro. Apesar das duas superfícies estarem à mesma temperatura, o metal vai parecer bem mais frio, por conduzir melhor o calor. A condutividade do carvão é bem maior do que a da pele de carneiro, mas bem menor do que a do metal. A próxima vez que encontrarem com uma pessoa que caminha sobre brasas, perguntem-lhe se estaria disposta a caminhar sobre uma chapa de metal que estivesse à mesma temperatura que as brasas!

Há ainda um fator adicional que os cientistas chamam de "efeito de congelação Leiden". Quando há uma diferença de temperatura significativa entre duas substâncias e a mais fria ou é um líquido ou contém um líquido, uma fria camada de vapor é formada para criar uma barreira de isolação que reduz bastante a transferência de calor.

Todos os indíces mostram que uma caminhada sobre brasas de três metros de 1.5 segundos de duração é algo que *qualquer* pessoa pode fazer, mas que poucas pessoas *pensam* que podem fazer.

Mulher: Algumas pessoas têm convicções que não parecem influenciar muito o seu comportamento. Por exemplo, eu tenho um chefe que fala o tempo todo sobre como as pessoas devem ser delicadas umas com as outras, mas ele próprio é bastante indelicado. Como você explica isso?

Eu gosto de entender como as coisas funcionam, não "explicálas". Há várias possibilidades. Uma delas é que esta convicção não é algo em que ele realmente acredite, mesmo que fale sobre isso. Muitos "intelectuais" têm crenças do tipo desta, que não tem a mínima influência sobre o comportamento deles. Neste caso, o padrão de mudança de convicção pode ser usado para transformar a convicção dele em outra que seja suficientemente verdadeira do ponto de vista subjetivo para afetar o seu comportamento.

Outra possibilidade é que a convicção do seu chefe seja real o suficiente, mas bastante seletiva: *outras* pessoas devem ser delicadas com *ele*, mas ele não precisa ser delicado com elas, porque ele é especial. Reis, ditadores e algumas estrelas de cinema são assim. Nem sempre as convicções exigem reciprocidade.

Uma terceira possibilidade é que a sua convicção seja real e recíproca, mas o que para ele é "ser delicado", para você é "ser indelicado". Nos anos 60 muitos psicólogos humanistas davam grandes abraços apertados nas pessoas porque achavam que era delicado, sem levar em consideração se a pessoa "abraçada" gostava ou não. Eles também insultavam outras pessoas, porque achavam que era bom ser honesto e dizer a verdade. Os homens que participavam das cruzadas achavam importante salvar a alma das pessoas, e não se importavam se para tal era necessário matar o corpo.

O processo de mudança de convicção é relativamente fácil, do momento que tenhamos consentimento da pessoa. Fica um pouco mais difícil se a pessoa não quiser mudar a sua convicção. Eu também parti do princípio de que vocês eram capazes de identificar uma convicção que valesse a pena ser mudada. Às vezes não é tão óbvio assim, e pode dar um certo trabalho determinar qual é a convicção limitativa de alguém. Em geral, a convicção que a pessoa *quer* mudar não é a que realmente limita o seu comportamento.

O meu principal objetivo é o de ensinar a vocês um *processo* que pode ser usado para mudar uma *convicção*. No entanto, o conteúdo que você coloca numa convicção também é importante. Eis por que eu pedi a vocês que fizessem um teste ecológico e também para que descrevessem a nova convicção em termos de processo, em vez de um objetivo, e também em termos positivos. É por isto que este processo de mudança de convicção deveria ser feito sem tornar conhecido o conteúdo da nova convicção, porque sei que alguns de vocês ficariam perdidos no conteúdo e teriam dificuldades em aprender o processo. Depois que vocês aprenderem o processo cuidadosamente não se perderão tão facilmente no conteúdo. No entanto, ao trabalhar com os seus clientes é uma boa idéia saber o conteúdo para que se possa verificar que a nova convicção é estabelecida em termos positivos, que é um processo e não um objetivo, e que tem possibilidades de ser ecológico. As convicções são poderosas. Ao mudá-las pode-se fazer muito bem, mas se a nova não for a correta, pode fazer muito mal. Quero que sejam *muito* cuidadosos em relação ao tipo de novas convicções que dão às pessoas.

VIII

APRENDIZAGEM

Sempre achei interessante que as pessoas, ao discutirem algo absolutamente sem importância, dissessem que é "Acadêmico". John Grinder e eu tivemos que deixar a Universidade da Califórnia, por estarmos ensinando aos nossos alunos a fazer algo com as suas vidas. Esta era a queixa que a Universidade tinha contra nós. Eles disseram que a Universidade destinava-se a ensinar às pessoas *a respeito* das coisas.

Quando eu ainda não me tinha formado, os únicos cursos em que fui mau aluno foram os de psicologia e de oratória. Eu fui reprovado no curso inicial de psicologia e passei "raspando" no de oratória! Não é uma piada? A minha vingança é a PNL.

Em todos os meus contactos com educadores, observei que as pessoas que ensinam um assunto podem ser realmente ótimos profissionais e conhecerem bastante sobre o assunto em questão. No entanto, sabem pouco sobre a maneira *como* eles o aprenderam e menos ainda sobre como passar adiante seus conhecimentos. Fiz um curso de química para principiantes, na Universidade. O professor entrou e disse para os 350 alunos: "Agora, quero que vocês imaginem que há um espelho aqui, e na frente dele uma molécula de DNA, rodando de trás para frente". Alguns dos presentes fizeram "Ahhh!". Tornaram-se químicos. Outros fizeram "Hã?". Não se tornaram químicos. Outros ainda fizeram "Urghh!". Estes tornaram-se terapeutas!

Este professor não tinha a mínima idéia de que nem todo mundo pode visualizar da maneira detalhada que ele o fazia. Este tipo de visualização é um pré-requisito para uma carreira bem-sucedida, na área de química, e é uma habilidade que pode ser ensinada às pessoas que ainda não sabem como visualizar bem. Mas como aquele professor partiu do princípio de que todos podiam fazer o que ele fazia, perdeu o seu tempo com a maioria das pessoas presentes na sala.

A maioria dos estudos referentes ao processo de aprendizagem têm sido chamados de "objetivos". O que a PNL faz é explorar a experiência *subjetiva* dos processos através dos quais as pessoas aprendem. Estudos "objetivos" normalmente estudam as pessoas que apresentam problemas. A PNL estuda a experiência subjetiva das pessoas que têm a *solução*. Se estudarmos o problema da dislexia, aprendemos muito a seu respeito. Mas, se quisermos ensinar às crianças a lerem bem, faz mais sentido estudar as pessoas que sabem ler bem.

Quando pensamos no nome "Programação Neurolingüística", muita gente disse: "Parece controle da mente", como se fosse uma coisa ruim. Eu respondi: "É isto mesmo". Se não começarmos a controlar e a usar o nosso próprio cérebro, estaremos deixando esse controle nas mãos da boa fortuna. Isto se parece com o que é feito no nosso sistema de educação. Eles lhe mostram o conteúdo durante 12 anos, e se a pessoa conseguir aprender, ótimo, eles ensinaram. Existem muitas maneiras em que o sistema atual de educação está falhando e gostaria de examinar algumas delas.

"Fobias Escolares"

Um dos problemas mais comumente encontrados diz respeito a crianças que tiveram experiências ruins na escola. Por causa disso um curso em particular, ou a escola em geral, se transforma num gatilho que dispara lembranças desagradáveis, que farão com que a criança sinta-se desconfortável. E, caso vocês ainda não tenham observado, não conseguimos entender bem se estamos nos sentindo desconfortáveis. Se a reação da criança for muito forte, os psicólogos chegam a descrevê-la como sendo uma "fobia escolar". A sensação ruim em relação à escola pode ser mudada, usando-se algumas técnicas que já demonstramos e ensinamos antes, mas gostaria de lhes mostrar uma maneira muito simples de lidar com este problema.

Quantos aqui sentem-se mal em relação à matemática — frações, raízes quadradas, equações e coisas do mesmo tipo? (Ele começa a escrever no quadro uma longa série de equações e várias pessoas murmuram e suspiram.)

Agora fechem os olhos e pensem numa experiência *absolutamente maravilhosa* — uma situação durante a qual se sentiram estimulados e curiosos ...

Agora, abram os olhos durante um ou dois segundos e olhem para essas equações, fechem os olhos e voltem àquela magnífica experiência ...

130

Abram os olhos novamente para olhar durante mais alguns segundos e voltem para aquela experiência estimulante. Alternem mais algumas vezes, até que estas duas experiências tenham sido cuidadosamente integradas...

Agora, chegamos ao momento de testar. Primeiro, olhem para o lado e pensem em algo neutro, ... e depois olhem para as equações e observem como reagem.

Homem: Funciona!

O que fizemos agora foi aplicar um antigo método de PNL, chamado de "integração de âncoras". Para maiores detalhes a respeito leiam *Sapos em Príncipes*. Para conseguirmos mudar reações negativas à escola, dessa maneira fácil e rápida, é necessário conhecermos como o nosso cérebro funciona. (Se quiserem experimentar este método por si mesmos, há uma página inteira de equações no Apêndice VI.)

Uma maneira mais imaginativa de usar o mesmo princípio é sempre ligar a aprendizagem a algo alegre e divertido. Ora, na maioria das escolas, as crianças são colocadas em filas, silenciosamente. Sempre pergunto: "Quanto tempo vai levar até que as crianças possam rir, se movimentar e se divertir?". Se ligarmos ao aprendizado desconforto e chateação não há por que ficar surpreso se ninguém gosta de aprender. Uma das grndes maravilhas a respeito da educação assistida por computador é que é mais interessante estar com um computador do que com a maioria dos professores que vemos por aí. Os computadores têm uma infinita paciência e nunca fazem as crianças sentirem-se mal, como é o caso de muitos professores.

Memória

Outro grande problema para muitas crianças é conseguirem lembrar-se do que aprenderam na escola. Grande parte do que chamamos de educação é na realidade memória. Atualmente, isto está mudando. Os professores estão começando a atender que a quantidade de informação é tão extensa, aumentando a cada dia, que a memorização não é tão importante quanto eles achavam antes. Hoje em dia, é muito mais importante ser capaz de descobrir os fatos quando se precisa deles e depois de usá-los, esquecê-los. No entanto, é importante ser capaz de lembrar como fazer isto.

Um dos aspectos da memória parece-se com o que examinamos há pouco: a memória está ligada a uma experiência agradável ou desagradável? Para que se possa lembrar de alguma coisa é necessário voltar a um estado de consciência no qual a informação foi fornecida. É assim que funciona a memória. Se alguém ficar zangado ou infeliz ao ter que fazer algo, para se lembrar deste fato terá de ter acesso novamente àquele estado desagradável. E já que a pessoa com certeza não vai querer sentir-se mal de novo, vai esquecer dos fatos ligados àquela sensação. E é por isso que quase todos nós temos uma amnésia total dos 12 ou 16 anos que passamos na escola. Não consigo me lembrar dos nomes dos professores, quanto mais do que me foi ensinado, e nem de nada relacionado à escola. Mas, lembro-me muito bem do meu último dia!

Qual é o seu nome?

Mulher: Lydia.

Você esqueceu de colocar o seu crachá. Só consigo lembrar-me do nome das pessoas se eu alucinar que elas usam crachás. Sempre que sou apresentado a alguém fico olhando para o lado esquerdo do seu peito. Devem pensar que sou meio pervertido. Uma vez dei um curso na Xerox e como todo mundo usava crachás com o nome da companhia, passei a chamá-los todos de "Xerox". É o tal negócio, o nosso cérebro aprende e mesmo quando se dá conta de que o que aprendeu não tem mais valor, continua a usá-lo assim mesmo.

Lydia, se você esquecer de colocar o seu crachá, ficarei pensando que você é um "penetra" e farei algumas insinuações... que ficarão com você pelo resto da sua vida. Mas, se você usar o seu crachá, farei apenas algumas que durarão pouco tempo.

Lydia, vou-lhe dizer um número: 357. Agora, quero que você se esqueça do número que acabei de dizer... Você já se esqueceu? (Não.) Se você não consegue esquecer um número quando ele não tem o mínimo significado, como poderia esquecer o seu crachá ou um assunto importante dado neste seminário? Já esqueceu? (Não.) Diga-me, como é possível não conseguir esquecer algo que não tem a mínima importância?

Lydia: Se nós continuarmos a falar sobre isso, vou-me lembrar ainda mais. Quer seja importante ou não. E, sobretudo, porque você está me pedindo para me esquecer, aí mesmo que vou me lembrar.

Isto faz sentido... Você notou quantas pessoas concordaram com o que você disse? "Pois é, você me pediu para esquecer e por isso eu tenho que me lembrar. E, de qualquer forma, não tem a mínima importância, mas estamos falando sobre isso. Se você me pedir para esquecer algo que não valha a mínima ser lembrado, não posso me impedir de lembrar." Estranho , não acham? ... Mas ela *tem* razão.

Parece estranho, mas mesmo assim, sabemos que ela tem razão. Tão estranho quanto ela dizer isto, é o fato dela realmente colocar o que diz em prática. E ainda assim, os psicólogos irão ignorar este fato, como se ele não tivesse o menor significado e estudarão os "complexos de Édipo" e outras coisas do estilo. Os psicólogos deixam de estudar a maneira como as pessoas lembram-se das coisas para estudar a "profundidade" do seu transe — a metáfora de que o transe é um buraco onde se cai, e quanto mais fundo for, melhor. Mas quem fala sobre "níveis de consciência" discorda. Para eles, quanto mais alto melhor.

Se eu não tivesse falado o tempo todo, e da maneira correta, ela teria sido capaz de esquecer um número com apenas três dígitos. Lydia é capaz de esquecer o seu crachá, mesmo sabendo que é importante. Ficamos tentando fazer com que as pessoas lembrem-se de coisas consideradas importantes, sem sucesso, não é mesmo? E ainda por cima, pensamos que *eles* fazem isto de propósito! Lembrem-se disso quando quiserem que as pessoas lembrem-se de alguma coisa.

Os psicólogos gastam uma boa parte do seu tempo torturando ratos, e grande parte do que lhes sobra de tempo é dedicado ao estudo da memória. E, no entanto, eles nunca chegam a desvendar a maneira *como* as pessoas a utilizam, em termos de experiência subjetiva.

Quem é que tem dificulade em se lembrar de números de telefone? Muitos talvez tentem lembrar-se auditivamente, repetindo verbamente os números para si mesmo. A maioria das pessoas aprendem a tabuada, recitando-a em voz alta. Mesmo que isto funcione, é um processo bastante lento, porque a pessoa tem de recitar as palavras para conseguir a resposta. "Nove, sete, três ... zero, quatro, seis, oito", "Nove vezes seis igual a cinqüenta e quatro". Muitas informações serão memorizadas de forma bem mais eficiente se o fizermos *visualmente*, ao invés de auditivamente: 974-0468 e 9x6 = 54. Quando lembramos visualmente, a imagem surge na nossa mente como um todo, e podemos ir diretamente àquilo que nos interessa, lê-la ou copiá-la. Muitas crianças que, supostamente, têm "problemas" de aprendizado, lembram-se auditivamente ao invés de visualmente. Se dedicarmos uma ou duas horas para ensinar-lhes a lembrar visualmente, eles aprenderão com muito mais rapidez.

Por outro lado, algumas pessoas tentam lembrar-se de uma canção, fazendo imagens ou tendo sensações, no lugar de ouvir os sons. O que temos de ter em mente é que há uma maneira apropriada de lembrar cada coisa.

Outra boa maneira de se ter uma má memória é fazer coisas que são irrelevantes no momento em que decidimos decorar alguma coisa. Se nos dissermos: "Tenho que decorar este número de telefone", é provável que vamos lembrar da frase e não do número! Muita gente diz este tipo de coisa e depois se surpreende com a sua "péssima memória". Na realidade, a maioria dessas pessoas são excelentes, só que elas a usam para se lembrar de coisas que não têm a mínima importância.

Descobrimos coisas realmente interessantes quando estudamos as pessoas que têm uma memória fenomenal. Há o caso de um homem possuidor de uma memória fantástica, que coloca subtítulos que são verdadeiras descrições impressas, em baixo de todas as imagens por ele criadas. Esta curta descrição verbal codifica e caracteriza a memória, facilitando o seu acesso. É como um título de filme que já assistimos. Para saber do que se trata, não precisamos assistir a todo o filme. Seria como um código de identificação — arbitrário, porém inteligível, relacionando e vinculando duas coisas entre si.

Em um dos seminários que organizamos, havia uma mulher que, após ouvir o nome e sobrenome de 45 pessoas podia repeti-los sem vacilar. Quando ela era apresentada a alguém, automaticamente dirigia a sua memória para alguma característica da pessoa — a forma do nariz, do queixo, a cor da pele, ou qualquer outra coisa que fosse específico daquela pessoa. Ela continuava a prestar atenção, enquanto ouvia o nome da pessoa e fazia a ligação entre os dois. Ela ainda fazia uma checagem, olhando rapidamente para outro ponto, para poder visualizar a característica específica da pessoa ao ouvir seu nome, certificando-se de que a conexão fora feita. Como não quero passar por todo esse processo, peço às pessoas que usem um crachá. Mas, com certeza, trata-se de algo muito útil para vendedores, pois têm de tratar com muita gente, e é considerado importante lembrar o seu nome e ser afável com elas.

Este método visual não funciona se o trabalho for, em sua maior parte, feito por telefone. Mas pode ser facilmente adaptado ao sistema auditivo: observar um detalhe da voz da pessoa, ou da sua cadência ao ouvir o seu nome. As pessoas muito visuais preferem criar uma imagem do nome das pessoas, ao ouvi-lo. Qualquer estratégia de memória pode ser adaptada assim, tornado-a mais apropriada ao contexto ou às habilidades específicas da pessoa que deseja lembrar-se de algo em particular.

Se você quer *realmente* se lembrar de alguma coisa, faça uma conexão com algo específico, nos três sistemas representacionais: auditivo, visual e das sensações. Ao escutar o som do nome da pessoa, com o tom de voz dela, pode-se notar algo específico na sua aparência, ou ainda ao apertarem-se as mãos. Isto lhe dará um código de identificação para se lembrar em cada um dos três sistemas representacionais.

Outra maneira de ter uma "boa memória" é ser tão eficiente e econômico quanto possível em relação ao que você se *lembra* e usar o que você *já* lembrou, o máximo possível. Por exemplo, se você sempre coloca as suas chaves no bolso dianteiro do lado direito das calças, isto só precisará ser lembrado uma *única* vez. Alguém que viva mudando o lugar das chaves terá de se lembrar disto várias vezes ao dia, ao invés de uma única vez em toda a sua vida.

Um dos nossos alunos tem o seu próprio negócio, o que o obriga a preencher muitos formulários e registros. Sempre que ele tem de abrir uma nova pasta, ele se pergunta: "Onde é que eu procuraria esta pasta quando precisasse dela?", se dirige ao arquivo e uma etiqueta específica vem à sua mente e ele arquiva a sua pasta naquele local. Este método aproveita o que ele *já* lembrou para organizar os seus arquivos de maneira que não precise lembrar-se de nada de novo. A cada vez que ele arquiva uma pasta, estará fortalecendo uma conexão entre a pasta e a etiqueta do arquivo, aumentando ainda mais a confiabilidade do sistema.

Nestes dois exemplos mostramos uma situação na qual temos de nos lembrar o mínimo possível. Vou dar outro exemplo. Olhe os números abaixo por uns instantes, depois cubra-os e verifique se consegue lembrar-se deles...

149162536496481100

Agora, olhe-os o tempo que achar necessário para lembrar-se deles...

Ao fazer a tentativa, talvez tenha começado por agrupar os números de dois em dois, ou de três em três, para organizar a tarefa e facilitar a memorização:

14, 91, 62, 53, 64, 96, 48, 11, 00

ou

149, 162, 536, 496, 481, 100

Este processo é chamado de "segmentação": dividir uma tarefa maior em pedaços menores e mais fáceis de serem realizados. Lembram-se da velha piada?: "Como é que se come um elefante?". A resposta é "um pedacinho de cada vez".

Agora, quanto tempo você acha que conseguirá lembrar-se com exatidão do número? — uma hora? — um dia? — uma semana? Vamos segmentar o número de um modo diferente. Isto faz lembrar alguma coisa?

$$1 \ 4 \ 9 \ 16 \ 25 \ 36 \ 49 \ 64 \ 81 \ 100$$

Este segmento pode ser escrito de forma ligeiramente diferente, como uma raiz quadrada, por exemplo:

$$1^2 \ 2^2 \ 3^2 \ 4^2 \ 5^2 \ 6^2 \ 7^2 \ 8^2 \ 9^2 \ 10^2$$

Agora, tornou-se claro que o número inicial é a raiz quadrada de 1 a 10, colocados um ao lado do outro. Ao saber disso, podemos lembrar deste número, mesmo dentro de 10 anos. O que torna isso mais fácil? Vamos ter de nos lembrar de *menos* elementos, e tudo codificado em termos de coisas que *já* conhecemos e sabemos de cor. E isto é o que é a matemática e a ciência — a codificação eficiente e perfeita, para que possamos ter de lembrar-nos menos, deixando o nosso cérebro livre para fazer outras coisas que são mais engraçadas e interessantes.

Os princípios expostos acima são apenas alguns dos que facilitam e aceleram a memorização. Infelizmente, ainda não são usados como deveriam, na área educacional.

"Deficiências de Aprendizado"

Uma das boas coisas de ser autor de vários livros é que as pessoas deixam a gente fazer certas coisas com elas que não teriam deixado antes. Em geral, quando isso acontece, a gente nem lembra mais do que a gente queria fazer, porém eu tomei nota de algumas. Ao fazer um pedido para trabalhar junto a uma escola municipal, tinha algumas coisas específicas em mente. Uma delas dizia respeito à noção de "deficiências de aprendizado", "disfunção cerebral mínima", "dislexia" e "deficiências escolares". São palavras que soam muito importantes, mas o que elas estão descrevendo é que há uma *deficiência no ensino*.

Toda vez que uma criança não consegue aprender, a conclusão imediata é que se trata de uma "deficiência de aprendizado", ... mas não se pára para pensar sobre *quem é o deficiente* neste caso! Talvez vocês já tenham observado que *nunca* se fala em *"deficiência de ensino"*. O que está implícito é que a origem da deficiência está no fato de que o cérebro da criança é fraco ou tem algum tipo de lesão, presumivelmente por razões genéticas. Quando as pessoas não sabem como mudar algo, geralmente começam a procurar uma forma de justificar a falha, em vez de estudar uma maneira diferente de abordar o assunto para encontrar uma solução. Se partimos do princípio de que o problema está no lobo responsável pelo aprendizado da criança não podemos fazer nada a respeito, a não ser esperar que o transplante de cérebro seja aperfeiçoado.

Por minha parte, prefiro explicar a falha de outra maneira. Prefiro achar que se trata de uma "disfunção de ensino", deixando aberta a possibilidade de que possamos encontrar uma solução. Se partimos do princípio de que podemos ensinar qualquer coisa, descobriremos em que casos isto (ainda) não se aplica. Porém, se partirmos do princípio de que, quando alguém não está aprendendo, isto quer dizer que é impossível ensinar-lhe, nem chegaremos a tentar.

No último século era do conhecimento geral que o homem não podia voar. E quando os aviões começaram a fazer parte da nossa vida cotidiana, muita gente passou a achar que era impossível o homem chegar à Lua. Se a nossa atitude fora de que qualquer coisa é possível, veremos muitas das coisas que eram consideradas impossíveis tornarem-se possíveis.

Toda a teoria de "deficiências de aprendizado" baseia-se principalmente em velhos estudos neurológicos de "ablação" que tiveram sua origem em uma idéia bem primitiva da maneira como o cérebro funciona: que é possível descobrir o funcionamento de algo a partir da observação do que acontece quando esta coisa está quebrada. Assim, ao encontrarem uma lesão em uma parte do cérebro de uma pessoa que não falava, concluíam que: "É aqui o centro gerador da fala". Este raciocínio é o mesmo que, ao cortarmos o fio de um aparelho de televisão, observando que a imagem ficou turva, concluirmos que: "Este fio regula a nitidez da imagem". Existem milhares de fios, conexões e transistores, responsáveis pela nitidez da imagem, de uma maneira mais complexa e interdependente *e* o cérebro é com certeza muito mais complexo do que um aparelho de televisão. No caso de algumas das zonas mais primitivas do cérebro há realmente uma relação entre a sua localização e a sua função. Porém, já se sabe há anos que uma criança pequena pode perder um hemisfério inteiro do cérebro e ainda aprender perfeitamente tudo de novo com o outro lado.

Muitos dos antigos dogmas estão sendo eliminados por descobertas recentes. Em um estudo de Tomografia de raios-X, feito num rapaz universitário, possuidor de um QI de 120, foi descoberto que ele tinha ventrículos cerebrais tão aumentados que o seu cortéx chegava a um centímetro de largura! Grande parte do seu crânio estava cheio de líquido, e, segundo a teoria vigente, ele não poderia conseguir sequer levantar-se da cama, quanto mais freqüentar a universidade!

Segundo outro dogma tradicional, nenhum neurônio de animais da raça dos vertebrados pode ser formado após o nascimento. No ano passado foi feita uma descoberta, segundo a qual o número de neurônios do cérebro de um canário macho, responsáveis pelo canto, dobrava na chegada da primeira, e depois metade desaparecia durante o resto do ano.

Em outra pesquisa, foi descoberto que se um macaco perder um dos seus dedos, a parte do cérebro que era responsável por aquele dedo passa a ser usada para os outros dedos que, dentro de algumas semanas, têm a sua sensibilidade aumentada. Todas as informações mais recentes de que dispomos indicam que o cérebro tem *muito* mais flexibilidade e capacidade de adaptação do que pensávamos antes.

Nunca gostei da idéia de considerar certas crianças como "deficientes escolares", porque nunca considerei a leitura como algo basicamente genético. Uma criança aprende a falar em três anos, mesmo que esteja na selva, quer seus pais possuam ou não doutorado! Por que então levaria mais de 10 anos para ensinar-lhe a *ler* algo que ela já sabe *falar*? As crianças dos guetos aprendem a falar três idiomas e sabem escrever em códigos secretos. Mas a maneira como as crianças são ensinadas a ler na escola faz com que elas não consigam aprender. Com certeza, nos lembramos de cursos nos quais não aprendemos nada, por causa da maneira horrível como o material nos foi apresentado.

Aprender a ler não é tão difícil assim. Tudo o que se tem de fazer é a conexão entre a imagem da palavra com o som já conhecido. Se já conhecemos a palavra falada, este som foi conectado com a experiência descrita por ela. Quando éramos crianças aprendemos logo que o som "gato" referia-se a uma coisa pequena com pêlos e unhas compridas e que andava e miava. E isto é feito dentro do nosso cérebro quando, ao ouvir a palavra "gato", lembramo-nos a experiência de ver, ouvir e pegar num gato. Depois, quando alguém diz a palavra, a experiência está lá, presente na nossa mente, e quando vemos, ouvimos ou pegamos um gato no colo, o som da palavra também estará presente. E a leitura não é outra coisa senão o fato de acrescentar a imagem da palavra ao que você já conhece. Ao vermos a palavra "cachorro" escrita, o som e a imagem que nos vêm à mente é diferente do que ao vermos a palavra "gato".

Isto parece simples, e é. E, no entanto, há uma quantidade imensa de literatura a respeito dos problemas de leitura e são feitos esforços enormes para resolver problemas de leitura. Há um grupo de PNL que trabalha em Denver (ver Apêndice V) que lida com todos os tipos de problemas da área de educação. Eles garantem aumentar o nível de leitura de uma criança, adiantando-a um ano, *no mínimo*, em oito sessões de uma hora cada. Depois, é feita uma avaliação segundo os testes vigentes. Em geral, os progressos são feitos em ainda menos tempo. Nos últimos três anos, eles só tiveram um único problema. A *única* exigência que eles fazem é que a criança tenha estabilidade dos músculos oculares, para que possa ver o que está tentando ler.

Medicamentos

Uma outra coisa que acho terrível no sistema escolar é a mania generalizada de prescrever remédios do tipo Ritalin para crianças "hiperativas" que não conseguem ficar quietas por muito tempo. Esses remédios os fazem ficar mais parados, para que o professor possa acompanhar o seu ritmo. E isto é feito porque, segundo os defensores da prescrição do remédio, ele é inofensivo. Uma das coisas mais interessantes a respeito desse tipo de remédio é que, apesar de acalmar as crianças hiperativas, o seu efeito é completamente o inverso nos adultos, agindo como faz a anfetamina.

Quando conversei com o responsável pela escola municipal, fizlhe uma proposta: "Este remédio que vocês dão às crianças faz com que eles se acalmem, mas excitam os adultos, não é mesmo? E vocês estão convencidos de que se trata de algo inofensivo, certo? Ótimo. Tenho uma proposta que vai fazer com que vocês economizem muito dinheiro. Parem de dar este remédio às crianças e dêem-no aos adultos, para que eles possam chegar ao nível das crianças". Eles foram apanhados dentro do seu próprio raciocínio, mas ainda assim não gostaram da idéia. Tentem fazer esta sugestão na escola em que vocês trabalham e descubram quantos desses "professores deficientes de ensino" gostariam de tomar um "remédio totalmente inofensivo". A mesma coisa acontece com os psiquiatras: quase nunca prescrevem remédios psicoativos aos seus colegas que se encontram hospitalizados! Depois de passarem 30 anos prescrevendo remédios à base de fenotiazina, eles descobriram que causa algo chamado de "Discinesia Tardia", quando a pessoa envelhece, afetando os seus músculos e causando um tremor que impede as pessoas de andar e segurar uma xícara.

Mulher: Sou professora e ainda na semana passada participei de uma reunião com um médico, uma enfermeira e outro professor. A enfermeira disse: "Acho que deveríamos dar um remédio a esse menino" e os outros concordaram. Fiquei fora de mim e disse: "Não posso acreditar que com todas as campanhas antidrogas vocês estejam recomendando drogas a esse menino! E vocês, tomam esse tipo de remédios?". O médico respondeu: "Todas as noites tomo para me acalmar". E o outro professor disse: "Eu também". A enfermeira disse, por sua vez: "Eu tomo Valium todos os dias". Não conseguia acreditar no que estava ouvindo e fiquei tão chocada que não soube o que responder.

Bom, tomar remédios é bem diferente do que forçar outras pessoas a tomarem também. Acho que cada pessoa deve escolher as suas próprias drogas. O mais triste é que a maioria dos casos em que se prescreve medicamentos poderiam ser facilmente resolvidos com a PNL. Qualquer especialista em PNL pode curar uma fobia de escola em meia hora e transformar um mau soletrador em alguém que saiba soletrar, em uma ou duas horas.

Mas é preciso ter muito cuidado atualmente. Como a PNL está começando a se tornar bastante conhecida, muitas pessoas despreparadas e sem qualificação dizem ser especialistas em PNL. Há algumas que se autodenominam "O melhor instrutor em PNL", quando só participaram de um único seminário! Este é o tipo de coisa que acontece quando uma técnica que dá resultado começa a se tornar conhecida. Portanto, tenham cuidado e façam algumas perguntas à pessoa que se diz especialista em PNL.

Alguns técnicos de alto nível em PNL estão freqüentando aulas de educação especial e eliminando todos os problemas de aprendizado que vêm pela frente. Quando descobrimos o funcionamento do cérebro de alguém, fica relativamente fácil ensinar a utilizá-lo de forma mais eficiente.

A capacidade de se aprender é adquirida não quando somos inundados com conteúdo e sim quando aprendemos o mecanismos da

140

aprendizagem: as seqüências e estruturas subjetivas necessárias para que possamos aprender.

IX

O SWISH

O outro padrão de submodalidade que quero mostrar a vocês pode ser usado para praticamente qualquer coisa. Trata-se de um padrão bastante gerador que programa o seu cérebro para ir em uma direção bastante simples e fácil. Muita gente se interessa por algo chamado de "controle de hábitos". Quem rói unhas e gostaria de parar? (Jack vem à frente.) Vou usar este padrão para que Jack faça outra coisa no lugar de roer unhas.

O que é que você vê logo antes de começar a roer unhas?

Eu não sei. Não me dou conta de que estou roendo as unhas até que já esteja fazendo há um certo tempo.

Isto acontece com a maioria dos hábitos. É como se estivéssemos ligados ao "piloto automático" e só notamos mais tarde e nos sentimos desconfortáveis. Você sabe quando ou onde você rói as unhas em geral?

Jack: Em geral quando estou lendo um livro ou vendo um filme.

Muito bem. Quero que você se imagine assistindo a um filme e levando a sua mão em direção à boca como se fosse roer as unhas. Quero que observe o que você vê enquanto a sua mão se levanta, tendo consciência de que está prestes a roer as unhas.

Jack: Certo. Posso ver as minhas mãos se levantando.

Muito bem. Usaremos esta imagem daí a pouco, mas por enquanto deixe-a de lado. Agora precisamos de outra imagem. Jack, se você não roesse mais as unhas, de que maneira seria diferente? Não é simplesmente que você se veja com unhas mais longas. Qual seria, para você, o valor de mudar este hábito? Que diferença faria para você como pessoa? O que iria significar para você? Não quero

---

* *Swish* — Movimento feito com um som sibilante. A Sociedade Brasileira de Programação Neurolingüística decidiu adotar o termo original, em inglês. (N. T.)

que me diga as respostas, apenas que responda criando uma imagem de você sem ter mais este hábito.

Jack: Muito bem. Já entendi.

Agora quero que você veja aquela primeira imagem de você enquanto a sua mão se levanta, e aumente-a cada vez mais, ...e na parte inferior direita da imagem coloque uma pequena imagem escura de como você se veria se não tivesse mais este hábito...

Agora, quero que você faça o que chamamos de *"swish"*. Quero que você aumente a pequena imagem rapidamente até que ela cubra a antiga imagem da sua mão, que por sua vez irá, simultaneamente ficar mais escura e menor. Quero que faça isso bem rápido, em menos de um segundo. Logo que você tiver feito o *swish* dessas imagens, ou limpe completamente a tela, ou abra os olhos e olhe em volta. Depois vá para dentro de si mesmo de novo e repita a operação, começando com a imagem iluminada da sua mão subindo e a pequena imagem de si mesmo no canto direito. Faça isto em um total de cinco vezes. Sempre limpe a tela ou abra os olhos antes de recomeçar...

Agora, vamos fazer um teste. Jack refaça a imagem grande e iluminada da sua mão subindo e diga-me o que acontece...

Jack: Bem, é difícil segurar a imagem. Ela desaparece, e a outra imagem toma o seu lugar.

O padrão *swish* direciona o cérebro. Os seres humanos têm uma tendência a evitar os desprazeres e são impulsionados em direção ao prazer. Primeiro, temos uma grande imagem clara da pista para o comportamento de que ele quer se livrar. Enquanto essa imagem escurece e desaparece, o desprazer diminui. Enquanto a imagem desejada toma o seu lugar, tornando-se cada vez maior e mais iluminada, ela o empurra em sua direção. É como se ela indicasse a direção a seguir: "daqui para ali". Quando direcionamos a nossa mente, o comportamento tem uma forte tendência a seguir esta indicação.

Jack, quero que faça ainda outra coisa. Leve a sua mão em direção à sua boca, como quando roía as unhas. (Jack levanta a mão. Antes de chegar à boca, ela pára e abaixa cerca de um centímetro.)

Bem, o que acontece?

Jack: Eu não sei. A minha mão levantou, mais depois parou. Eu queria abaixar a minha mão, mas deixei-a lá de propósito, porque você me pediu.

Este é um teste comportamental. O comportamento que o levava a roer as unhas agora o leva a outro lugar. É tão automático quanto antes, mas leva-o para um ponto que ele gosta mais.

144

Isto será traduzido em experiência. Enquanto aquela mão sobe e a compulsão começa, a sensação irá literalmente levá-lo para outra direção. É uma nova compulsão. Não é que a compulsão tenha sido abandonada, e sim que ela o leva a ser a pessoa que você prefere ser.

Uma vez fiz isto com uma mulher que era vidrada em chocolate que vivia dizendo que queria se "libertar". Ela não queria ter compulsões porque não se encaixava na imagem que fazia de si mesma. Depois que fez esta experiência ela não conseguia ter uma imagem de chocolates. Elas simplesmente desapareciam. Assim, quando ela olha para chocolates de verdade agora, já não tem a antiga reação. A direção dos seus pensamentos a leva na direção que ela deseja. É uma nova compulsão. Poderíamos chamar este padrão de "troca de compulsões". Eu disse a ela: "Agora você está realmente bloqueada. Você tem uma nova compulsão de não conseguir mais criar a antiga imagem", e ela respondeu: "Não me importo". Na realidade, ela não tem objeções quanto a compulsões, ela só quer ser compulsiva à sua maneira. Esta é a diferença que faz a diferença.

O padrão *swish* tem um efeito mais poderoso do que qualquer outra técnica que eu tenha utilizado antes. Num dos últimos seminários que dei, havia uma mulher na fila da frente reclamando porque tentava parar de fumar já há onze anos. Eu a mudei em menos de *onze minutos*. Cheguei até a escolher o que colocar dentro da pequena imagem escura. Não sou o que as pessoas chamam de "médico não-diretivo". Disse-lhe para ver uma imagem de si mesma achando agradável ver outras pessoas fumando. Não queria criar outro crente recém-convertido. Não queria que ela ficasse reclamando com os fumantes e tornando-lhes a vida infernal.

Agora quero que vocês se coloque em grupos de dois e experimentem este padrão. Antes de começar, vou repassar as instruções.

O Padrão "Swish"

1. *Identifique o contexto.* "Primeiro identifique a situação que você deseja mudar. Onde e quando desejaria ter uma reação diferente da que tem atualmente? Pode ser uma situação do tipo roer unhas ou ficar zangada com o seu marido."

2. *Identifique a imagem-pista.* "Agora quero que identifique o que você vê um pouco antes de iniciar o comportamento que desejava mudar. Como a maioria das pessoas estão no que chamo de "piloto automático", talvez seja necessário *repetir* a ação que precede

o comportamento, para ver exatamente do que se trata." Foi isto que fiz com Jack. Eu lhe pedi que levantasse a mão até o seu rosto e usasse aquela imagem. Já que se trata da pista para um tipo de reação que a pessoa quer mudar, deve haver algum tipo de situação desagradável associada a essa imagem. Quanto mais desagradável for, melhor funcionará.

3. *Criar a imagem do resultado desejado.* "Agora crie uma segunda imagem *de que maneira diferente você se veria se já tivesse feito a mudança de comportamento desejada.* Quero que façam todas as modificações necessárias até que fiquem satisfeitos com ela — que ela seja realmente motivadora." Enquanto o seu parceiro cria esta nova imagem, quero que observem as suas reações, e certifiquem-se de que realmente se trata de algo agradável e atraente para ele. Quero que ele tenha uma expressão no seu rosto que indique que a imagem mostra algo que realmente valha a pena. Só continue se vir esta expressão no seu rosto.

4. *"Swish"* Agora proceda ao *swish* das duas imagens. Comece com a imagem-pista, grande e luminosa. Depois coloque uma pequena imagem da imagem do resultado desejado no canto inferior direito. A pequena imagem crescerá e ficará mais luminosa e cobrirá a primeira imagem, que, por sua vez, diminuirá e ficará mais escura, tão rapidamente quanto se consegue pronunciar *swish*. Depois, limpe a tela ou abra os olhos. Faça isto cinco vezes, no total. Lembre-se de limpar a tela no final de cada *swish*.

5. *Teste.*

a. "Agora lembre-se daquela primeira imagem... O que acontece?" Se o *swish* funcionou, será difícil lembrar-se. A imagem irá desaparecer e será substituída pela segunda imagem de como você desejar ser.

b. Outra maneira de testar é comportamental: Descubra uma maneira de criar as pistas que estão representadas na imagem-pista do seu parceiro. Se a imagem tiver a ver com o seu comportamento em si, como no caso de Jack, peça-lhe para repetir o comportamento. Se a imagem for de alguém oferecendo um chocolate ou um cigarro, ou gritando, quero que repita o seu comportamento com o seu parceiro e observe o que ele faz e como reage.

Caso a antiga reação ainda estiver presente, retroceda e repita o padrão *swish* novamente. Veja se consegue descobrir o que poderia ter deixado de lado, ou o que pode fazer para que funcione desta vez. O que estou ensinando é uma versão simplificada de um padrão bem mais geral. Sei que vocês têm dúvidas, mas gostaria que tentassem primeiro. Depois, as perguntas se tornarão muito mais interessantes. Façam isto durante 15 minutos.

Enquanto dei uma volta pela sala, observei que muitos de vocês estavam indo muito bem. Não vamos falar sobre isso a não ser que tenham tido dificuldade no início e conseguido encontrar um solução. O que quero saber é dos casos em que o *swish* não funcionou.

Amy: Quero parar de fumar. Quando fizemos o teste eu ainda sentia vontade de fumar.

Muito bem. Descreva a sua primeira imagem.

Amy: Eu me vejo com um cigarro nas mãos, e...

Pare. É muito importante que *não* se veja na primeira imagem e se *veja* na segunda. Isto é essencial para que o *swish* funcione. A primeira imagem tem de ser uma imagem *associada* do que você vê com os seus olhos quando começa a fumar — a sua mão indo em direção ao cigarro, por exemplo. Se você vê a sua mão segurando um cigarro, sente vontade de fumar? Ou é o fato de ver os cigarros? Pouco importa, o que quero é que você crie uma imagem do que você vê que dispara a sensação da vontade de fumar. Crie uma imagem do que quer que seja que *precede* o momento de fumar. Pode ser pegar um cigarro, levá-lo à boca, ou outra coisa qualquer. Tente este processo com a imagem associada e conte-me o que acontece.

Homem: Em que livro encontra-se este processo?

Nenhum. Por que é que eu iria ensinar algo que já se encontra num livro? Vocês são adultos, sabem ler. Sempre achei completamente idiota que alguém escrevesse um livro e depois fosse para os seminários lê-los. Mas muita gente faz exatamente isso, e chega a ganhar muito dinheiro; por isso acho que deve ter alguma utilidade.

Mulher: Em muitas das técnicas anteriores de PNL você substituiu um comportamento por outro novo específico. Mas, neste caso, você simplesmente vê como seria diferente se mudasse.

Têm razão. E é isto que torna este comportamento tão produtivo. Em vez de substituir um comportamento específico, estamos criando uma nova *direção*. Estamos usando o que é normalmente chamado de "auto-imagem", que é um motivador bastante poderoso, para estabelecer aquela nova direção.

Quando estive em Toronto, em janeiro, uma mulher me disse que tinha fobia de tempestades. Como Toronto é uma cidade gelada a maior parte do ano, não havia muitos problemas, e eu disse: "Por que é que não as evita, simplesmente?". Ela respondeu: "Bem, porque esta não é a imagem que tenho de mim mesma". Essa disparidade era uma grande motivação para ela, mesmo que a fobia de tempestades não fosse um problema real. Nem era o que eu chamo de "fobia violenta". Era mais uma fobia "ahhh!", ao invés de uma fobia "AAHHGGH!". Ela ainda não tinha o seu cérebro direcionado de maneira apropriada, mas a imagem de si mesma que queria mudar fazia com que ela continuasse tentando. Então eu lhe perguntei "Se você conseguisse efetuar esta mudança, de que maneira diferente você se veria?" Para que este padrão seja eficiente é imprescindível ter uma resposta a esta pegunta. Este processo não leva a pessoa a um beco sem saída — ele o impulsiona em uma direção específica. Se a pessoa vê a si mesma fazendo uma coisa em particular, ela só se programaria para aquela nova escolha. Se a pessoa se vê sendo uma pessoa com *qualidades* diferentes, esta nova pessoa poderá gerar *muitas* novas possibilidades específicas. No momento em que o caminho é estabelecido, ela irá gerar um comportamento específico muito mais rápido do que se pensaria.

Se eu tivesse usado a cura de fobia padrão no seu caso, ela não iria ligar a mínima para tempestades, nem mesmo iria notá-las. Fazer com que alguém deixe de se importar com alguma coisa é fácil demais e já existe muita gente assim solta por aí. Se eu tivesse construído um comportamento específico, como por exemplo ir atrás de tempestades, ela teria de ser capaz de fazer isto. Nenhuma dessas duas mudanças são particularmente profundas no que tange à evolução pessoal desta mulher. Acho que existem mudanças bem mais interessantes que um humano pode fazer.

Quando fiz o *swish* com ela, estabeleci um caminho que a levasse em direção a uma imagem de si mesma como sendo mais competente, alegre, mais capaz, que gostasse mais de si mesma, e o que é mais importante, *sendo capaz de acreditar que pode fazer rapidamente as mudanças na maneira que achar melhor para si mesma.*

Mulher: Acho que entendi o que você quer dizer, mas estou tentando fazer a conexão desta técnica com algumas das técnicas de ancoragem que aprendi. Por exemplo, existe uma técnica na qual você cria uma imagem daquilo que você deseja ser, e depois incorpora aquela nova imagem, para ter acesso a todas as sensações cinestésicas, e em seguida ancora-se esse estado.

Certo. Esta é uma das técnicas antigas. Ainda tem a sua utilidade, mas também pode causar alguns problemas. Se alguém tem uma representação interna bem detalhada, pode-se criar um comportamento específico que funcionará bastante bem. Mas, se apenas criarmos uma imagem do que você gostaria de ser e incorporarmos aquela imagem para sentir como seria se já fosse assim, isto não vai querer dizer que você *adquiriu* as qualidades ou que tenha aprendido muito. É uma maneira excelente de se criar ilusões, e não lhe oferece nenhum caminho a seguir.

Muitas pessoas vão pedir ajuda a terapeutas para se sentirem mais confiantes, quando se sentem incompetentes. Esta falta de confiança pode estar informando à pessoa sobre o nível de suas habilidades. Se usarmos a ancoragem para fazer com que alguém sinta-se em confiança, esta sensação *pode* fazer com que ela adquira confiança suficiente para fazer o que ela pode fazer, mas que não tem coragem de tentar. E isto fará com que aumentem as suas habilidades. Mas talvez só faça criar uma confiança *excessiva* — alguém que ainda é incompetente, mas que não se dá mais conta! Já existe gente demais assim por aí e são pessoas perigosas para outros e para si mesmas também. Há muito tempo venho falando que as pessoas pedem aos seus terapeutas para serem confiantes, quando deveriam pedir para serem *competentes.*

É possível mudar alguém para que ele pense que é o melhor em tudo o que faz, mesmo que não consiga fazer nem um pouco bem. Quando uma pessoa consegue *fingir* bem que é a confiante em si mesmo, consegue convencer outras pessoas que devem confiar em habilidades que na realidade ela não possui. Nunca canso de ficar surpreso com o número de pessoas que pensam que se um "especialista" age de maneira confiante, ele deve conhecer o assunto. O que eu penso é que já que a pessoa vai desenvolver um falso senso de segurança, por que não aproveitar para desenvolver competência?

Onde está Amy? Já terminou de fazer o *swish* com a nova imagem?

Amy: Sim.

Quanto tempo levou para fazer as cinco vezes?

Amy: Bastante tempo.

Foi o que eu pensei. Quero que você repita, desta vez mais rápido. O tempo não deve ultrapassar um ou dois segundos, a cada vez. A velocidade é um elemento muito importante deste padrão. O cérebro não aprende devagar, e sim rápido. Eu não vou permitir que você faça o processo mal feito e mais tarde você volte e diga que não funcionou. Faça agora e ficarei olhando. Abra os olhos após cada *swish* ...

Agora, crie a primeira imagem. O que acontece? ...

Amy: Ela desaparece.

Quer um cigarro? (Ele lhe oferece um maço de cigarros.)

Amy: Não obrigada.

A compulsão ainda está presente? Eu não me importo se você fuma ou deixa de fumar. Quero saber se há um impulso automático. Há poucos minutos você disse que ainda tinha o impulso de fumar.

Amy: Não sinto vontade de fumar agora.

Segure os cigarros. Tire um e segure entre os seus dedos. Olhe para eles. Brinque com eles.

Quando se faz um trabalho de mudança, não deixe jamais de testar. Ao contrário, force, porque os acontecimentos estarão sempre forçando situações, então é melhor descobrir imediatamente se está funcionando ou não. Dessa forma, se não estiver, pode-se consertar imediatamente. A observação cuidadosa das respostas não-verbais dos seus clientes vão lhe dar muito mais informações do que as respostas verbais. (Amy cheira os cigarros, e a sua expressão facial muda imediatamente.) Ah, lá está a reação. O cheiro dos cigarros trouxe de volta a compulsão. Você terá de fazer o *"swish"* novamente, acrescentando o olfato desta vez. Na primeira imagem quando você vê alguém lhe oferecer um cigarro, você sentirá o cheiro do cigarro. E na segunda imagem, você se verá sentindo-se satisfeita por poder cheirar os cigarros sem sentir nenhuma compulsão. Refaça tudo. Deve-se ser sempre cuidadoso dessa maneira. Quando um matemático chega a um resultado ele não diz: "Tudo bem". Ele verifica todas as respostas cuidadosamente, porque se ele não o fizer, todos os outros matemáticos o farão! Este tipo de rigor científico sempre esteve ausente no campo da terapia e da educação. As pessoas fazem uma experiência e depois fazem um seguimento de dois anos para descobrir se deu resultado ou não. Se o teste for feito de maneira rigorosa, pode-se descobrir para que a técnica funciona e para o que ela não funciona e isto pode ser verificado imediatamente. E se não funcionar, será necessário aplicar outra tecnologia.

O que acabei de ensinar é um versão simplificada de um padrão mais geral de *swish*. Mas, mesmo assim, alguns ficaram perdidos e confusos. Outra maneira de ser cuidadoso é fazer o *swish* em todos os sistemas. Em geral, no entanto, é mais econômico fazê-lo no sistema visual e depois testá-lo rigorosamente, para descobrir o que é necessário acrescentar. Em geral, não é necessario acrescentar nada. Ou bem a pessoa não sente necessidade ou ela própria o acrescentará sem se dar conta.

Amy, o que acontece agora quando sente o cheiro do cigarro?

Amy: É diferente. É difícil explicar. Agora, quando sinto o cheiro tendo vontade de deixá-lo de lado, em vez de fumá-lo.

O cérebro não aprende a conseguir resultados: ele *aprende a ir em certas direções*. Amy acabou de aprender um jogo de comportamentos: "Aceita um cigarro?" — "Sim" — acender e tragar. Cadeiras não aprendem a fazer isto. É algo incrível aprender algo de maneira tão profunda que ninguém conseguiu mudar o comportamento durante anos. Ela acabou de usar a mesma habilidade para ir em outra direção.

Quando começamos a usar o nosso cérebro para que ele vá na direção que desejamos, temos que estabelecer de maneira cuidadosa a direção que queremos que ele tome. O desapontamento não é a única coisa que exige um planejamento cuidadoso. Todo o resto também precisa de um bom planejamento. Sem um planejamento adequado, tornamo-nos impulsionados a fazer coisas que não gostaríamos de fazer... Lembrar de coisas desagradáveis e se sentir desconfortável, fazer coisas nocivas para o seu corpo, gritar com as pessoas de quem se gosta, agir como um covarde quano se está furioso ...

151

Todas essas coisas podem ser mudadas, mas não enquanto se está dentro da situação. Mais tarde podemos reprogramar a nossa atitude, ou ainda antes que a situação aconteça. O cérebro não foi planejado para conseguir resultados e sim para seguir caminhos estabelecidos. Se você sabe como ele funciona, poderá estabelecer as suas próprias direções. Se não, alguém o fará por você.

O que acabamos de ensinar aqui é o que se faz normalmente em seminários com um ou dois dias de duração. O padrão *"standard"* do *swish* é algo que você pode aprender bem e utilizar, e funcionará na maior parte das vezes. Mas não demonstra bem uma compreensão competente do que é realmente o padrão completo. Se entregarmos um livro de receitas a alguém, ele poderá fazer um bolo. Mas se você entrega uma receita a um grande cozinheiro, com certeza o seu bolo será melhor. Um ótimo cozinheiro conhece a química da arte de cozinhar que servirá de guia para o que ele vai fazer ou deixar de fazer. Ele sabe qual é a função das claras dos ovos. Para o bom cozinheiro não se trata apenas de juntar uma série de ingredientes. Ele sabe que alguns elementos dão uma consistência específica, que outras coisas devem ser colocadas num seqüência particular e que outros ingredientes podem mudar o sabor do produto final, de uma maneira ou de outra.

O mesmo se aplica quando começamos a usar o padrão *swish*. Para se tornar um grande cozinheiro será necessário usar novamente o padrão, mas quero que prestem atenção no que acontece quando do se muda *um* dos elementos. Da última vez usamos as submodalidades de tamanho e luminosidade e a associação/dissociação como elementos de mudança quando uma imagem toma o lugar da outra.

Dois desses elementos, o tamanho e a luminosidade, são elementos que mudam continuamente. Qualquer coisa que possa ser mudada gradualmente é chamada de variável *análoga*. A associação/dissociação é o que chamamos de variável *digital*, porque ou é uma ou é outra. Ou estamos dentro de uma experiência, ou estamos fora dela. Não se passa gradualmente de uma para outra. A associação/dissociação será sempre um dos elementos do *swish*. Os outros dois elementos análogos podem ser qualquer um dos dois elementos que tenham um efeito poderoso para a pessoa.

Desta vez quero que mantenham tudo igual, exceto que será usada a *distância* em vez do tamanho. A primeira imagem começará luminosa e *próxima*. A segunda começará escura e *distante*, e se aproximará rapidamente, tornando-se mais clara, enquanto que a primeira desaparecerá ao longe, enquanto fica mais escura. É uma pequena mudança, e para alguns de vocês não fará grande diferença, já que o tamanho e a proximidade estão fortemente ligados. Mas é um primeiro passo para ensinar-lhes a usar o padrão *swish* de uma maneira mais geral e flexível. Façam este exercício em 15 minutos, usando a distância, ao invés do tamanho.

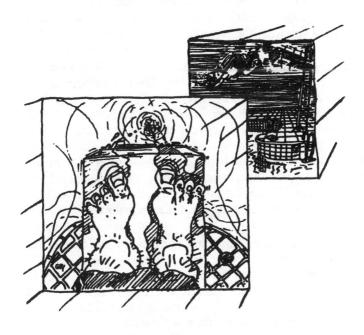

O fato de usar a distância ao invés do tamanho fez alguma diferença para vocês? Qualquer uma das distinções da submodalidade pode ser usada para o *swish*, porém só funcionará bem se as distinções usadas são poderosamente subjetivas para a pessoa com quem se está trabalhando. A luminosidade e o tamanho são poderosos na maioria dos casos, portanto a versão que ensinei em primeiro lugar funcionará com mais freqüência. A distância é outra das submodalidades importantes para muitas pessoas, por isso fiz com que fosse a segunda. Porém, se o tamanho, a luminosidade e a distância não são importantes para a pessoa, então vocês terão que descobrir quais são as que terão impacto, e usá-las no *swish*.

Há cerca de dois anos preparamos um vídeo com três clientes. (Ver Apêndice II.) O primeiro era uma mulher que sofria de "perda por antecipação". Adoro os nomes que eles inventam para descrever a confusão em que as pessoas se meteram! Resumindo, o seu problema era que, quando ela marcava um encontro com alguém e se a pessoa estava atrasada, meia hora depois ela tinha o que ela chamava de ataque de pânico. Ela perdia completamente as estribeiras. Quando eu lhe perguntei o que ela queria resolver, ela disse:

Eu tenho um problema com o medo que me paralisa às vezes. E quando isto acontece, entro em pânico. O que eu gostaria de fazer é poder tomar *distância*, para que quando eu me encontrar na situação não sinta este medo a ponto de me paralisar, e para também me controlar mais e tomar melhores decisões.

Já que ela falou em se "distanciar", isto me deu uma indicação clara de que a distância era uma submodalidade importante para ela. Ela também falou sobre as pessoas que lhe eram "chegadas" e sobre "relações próximas" com as pessoas. Mais tarde, quando falamos sobre o que acontecia com ela quando as pessoas se atrasavam ela disse: "Preciso deixar que eles tomem mais distância — quero dizer, que eles tenham mais tempo". Neste caso o *swish* usando a distância será muito mais forte do que com tamanho. De fato, tentei o *swish* de tamanho para descobrir se poderia dar certo, mas os resultados não foram satisfatórios. Quando usei a distância, funcionou perfeitamente.

A parte mais importante para que o *swish* seja feito de uma maneira artística, diz respeito à coleta de informações para poder estabelecer o ambiente de maneira apropriada para a mudança. Quando alguém fala de algo que é "mais do que posso agüentar" ou de uma "tempestade em copo d'água", é uma boa indicação de que o tamanho é uma variável importante a ser usada.

Quando alguém descreve uma limitação que ele quer mudar, devemos poder prestar atenção ao funcionamento deste problema em particular. Tenho sempre em mente que qualquer coisa que uma pessoa tenha feito é um acontecimento, mesmo que seja fútil ou doloroso. *As pessoas não funcionam mal, ao contrário!* O importante agora é saber *"Como é que elas funcionam agora?"*, para que possamos ajudá-las a funcionar melhor de uma maneira mais agradável e útil.

Uma das maneiras que tenho de reunir as informações de que necessito é dizendo ao cliente: "Digamos que eu tenho que substituir você durante um dia inteiro. Uma das coisas que eu teria de ter são as suas limitações. Como é que eu o faria? Você tem de me ensinar a adquirir este problema". Do momento que eu parto do princípio de que se trata de algo positivo — algo aprendido que pode ser ensinado a outra pessoa — muda completamente a maneira como esta pessoa será capaz de encarar e lidar com o seu problema.

154

Quando perguntei à mulher que entrava em pânico quando as pessoas chegavam atrasadas para me ensinar a fazer a mesma coisa, ela disse:

Você deve começar a se dizer frases do tipo: "Eles estão atrasados, talvez nunca cheguem".

Isto deve ser dito num tom de voz cansado — "Ha, hum"?

Não. A voz começa a falar devagar: "Dê a eles mais uma meia hora". E depois ela aumenta a velocidade quando a meia hora está se esgotando.

Você vê algum tipo de imagem?

Sim. Vejo a imagem da pessoa, talvez tendo um problema sério, como se eu estivesse observando através de lentes "zoom". Outras vezes, fico olhando com os meus próprios olhos e não vejo ninguém por perto.

No caso dessa mulher, havia uma voz que falava mais rápido, aumentando o tom, à medida que o tempo ia passando. A um certo momento, a voz diz: "Eles nunca vão chegar". E ela cria imagens em *close*, através de lentes de *zoom*, da pessoa tendo sofrido algum tipo de acidente, ou então dela mesma completamente sozinha.

Quando eu lhe pedi para tentar imaginar o que poderia ter acontecido de ruim à outra pessoa, o efeito de trazer a imagem para perto ou levá-la para longe foi bastante forte. Quando eu testei a luminosidade, ela disse: "A diminuição da claridade cria distância". Isto foi uma indicação de que a luminosidade também é um fator.

Agora quero que vocês formem pares e um de vocês pense numa limitação — um problema que queira mudar. Desta vez não é necessário modificar o problema. Apenas quero que descubram *como é que o que a pessoa faz funciona*. Usem o modelo: "Digamos que eu tenha que substituí-lo durante um dia inteiro. Ensine-me o que você faz". Façam a mesma coisa que fizeram para descobrir o que motivava as pessoas.

Sempre que alguém sente-se impelido a fazer algo que ele não quer fazer, algo dentro dela tem que aumentar até certo ponto. Ou tem de ficar mais iluminado, ou maior, ou mais alto, ou então o tom muda, o ritmo aumenta ou diminui. Quero que vocês descubram como essa pessoa consegue fazer o que faz. Primeiro, perguntem *quando* o fazem, e depois descubram *como* o fazem: o que acontece dentro dela que dirige a sua reação? Quando acharem que já identificaram as submodalidades principais, façam o teste, pedindo-lhe que varie uma delas de cada vez, observando as mudanças das suas reações.

155

Depois, peçam-lhe para criar uma nova imagem e variem de novo as submodalidades, para verificar se isto modifica a sua reação a esta nova imagem, da maneira anterior. Descubram o suficiente sobre o funcionamento para que vocês possam imitar a sua limitação, se o desejarem. Depois de obter esta formação, saberão como fazer o *swish* com esta pessoa. Mas não o façam, simplesmente reúnam a informação. Meia hora para o exercício.

Homem: O meu parceiro tem duas imagens representando dois estados diferentes: o desejável e o indesejável. Em um deles ele vê movimentos bruscos e no outro os movimentos são suaves e graciosos.

Estas duas imagens criam e mantêm o que ele considera ser uma dificuldade? Este é o ponto. Eu não perguntei sobre onde a pessoa quer chegar ainda. Somente como ele cria a dificuldade. No caso da mulher que tinha os ataques de pânico, ela tem de passar de um estado do "Ho, humm" para o estado de "piração". Ela começa com uma voz e imagens. Depois, ela tem de fazer com que a voz torne-se mais rápida e aumentar o seu tom, trazer a imagem mais para perto, à medida que a hora vai passando.

Homem: O meu parceiro tem um sentimento de pressa...

Claro. É esta a sensação de compulsão. Mas, como é que ele *cria* esta sensação? Qual é a submodalidade principal? O que eu quero saber é o seguinte: "Como é que a pessoa já faz o *swish* de um estado de submodalidade para outro?".

Homem: O que torna diferente no caso do meu parceiro é que ele está colocando a imagem em torno de si mesmo. Ele entra dentro dela, depois de colocá-la em torno de si, e olha para a imagem com os seus próprios olhos.

Ótimo. É assim que ele entra no estado que ele não quer entrar.

Homem: É. Primeiro ele entra naquele estado, e depois dissocia saindo dele, colocando-o de volta à sua esquerda, longe dele e fica a uma distância considerável.

Então a dissociação/associação é a submodalidade principal. Como não existem muitas escolhas, encontraremos algumas repetições. Quais foram as outras submodalidades que vocês encontraram?

Mulher: A largura da imagem juntamente com a luminosidade eram muito importantes. Quando a imagem diminuía e ficava mais escura, ela sentia-se coagida.

Isto faz sentido. Se as imagens são menores as pessoas sentem-se coagidas.

Mulher: O que ela fez parecia uma cinestesia.

Todos funcionam à base de cinestesia. É isto que estamos verificando. Parem para pensar um instante. Ao mudar a luminosidade de uma imagem, a intensidade das sensações também muda. Tudo é cinestesia. O que queremos saber é *de que maneira* tudo isto está relacionado para que o que *swish* possa ser feito.

O que é necessário saber para fazer um ''*swish*'' é se diminuindo ou não qualquer *imagem* faz aumentar a sua reação, e se escurecendo qualquer uma das imagens a sua reação aumenta. Talvez ela use a palavra "*coagida*" por não gostar da escolha que ela tem numa das imagens, em particular. Se ela vê uma escolha de que ela gosta e a imagem diminui, talvez ela descreva a sensação como "objetiva" ou "empenhada". Se o fato de diminuir o tamanho e a luminosidade faz com que a sua reação torne-se mais forte, poderemos fazer um *swish* começando com uma imagem do "estado problemático" que seja pequena e escurecida, aumentando e ficando mais clara, enquanto que o estado de resultado desejado torna-se menor e mais escuro. O que torna o "*swish*" tão perfeito é planejando-o de maneira que o cérebro reaja de maneira profunda a ele.

A outra alternativa é fazer com que *esta* imagem de poucas escolhas aumente a intensidade da sua sensação de coação, e que a sua imagem de maiores escolhas provoque uma maior reação da sua parte. Neste caso, a imagem problemática pode diminuir até chegar ao tamanho de uma única linha, e a imagem da solução surja a partir da mesma linha. Dessa forma, é necessário que sejam obtidas maiores informações sobre a maneira como funciona, antes de saber a melhor maneira de fazer *swish* com essa pessoa.

Estou falando sobre essas diferentes possibilidades para que você comece a compreender como é importante adaptar o seu método de mudança a cada pessoa em especial. O que se deseja é criar um caminho por onde a antiga imagem problemática mostre a solução e onde esta imagem de solução desejada crie uma reação de intensidade cada vez maior.

Homem: O meu parceiro tinha uma imagem com uma moldura dupla — em preto e branco — e a imagem é cortada no meio, em vez de ser uma imagem única. A parte superior da imagem desaparece quando ela entra em pânico.

O que é que foi mudado? Será que ela faz a imagem ficar em posição correta, em algum momento? Se por acaso voltar para outro ângulo, e se tiver uma moldura, neste caso ela também entra em pânico?

Homem: Não, a imagem continua no mesmo lugar.

Bem, ela não pode ficar no mesmo lugar porque tem de vir de algum outro lugar. O que estamos tentando descobrir neste caso é o que *muda*. Assim que ela tem a imagem que você descreveu, ela entra em pânico. Mas a imagem tem de começar de uma maneira um pouco diferente. Espero que ela não esteja permanentemente em pânico! Será que tem algo a ver com a mudança do ângulo da imagem? Ou será que o ângulo continua fixo e é outro elemento que muda?

Homem: A imagem está bem colocada no início e à medida que a situação muda ela começa a ficar oblíqua.

Assim, quando a imagem começa a ficar inclinada, ela também se sente fora de posição. E quando a imagem chega a um certo ângulo, ela entra em pânico. Quando a imagem está na posição vertical, a moldura é dupla?

Homem: Sim.

Neste caso, podemos deduzir que a moldura não é um elemento superimportante, simplesmente se encontra ali. Alguma outra coisa acontece quando a imagem começa a vacilar? Há uma mudança de luminosidade ou algo assim? A velocidade da imagem se modifica?

Homem: Não. O som também fica meio confuso.

E você tem certeza de que não há mais nenhum tipo de mudança visual?

Homem: Não tenho certeza.

Ótimo, fico contente de que você não tenha certeza. Porque não acho que a inclinação seja a única coisa que acontece. Você pode perguntar a ela. Peça que escolha uma outra imagem e incline-a para ver o que acontece. Se fosse apenas a inclinação da imagem que a faz entrar em pânico, a solução seria fazer com que primeira imagem fosse diminuindo até ficar do tamanho de uma linha, enquanto que a segunda imagem se inclinaria para a vertical. Ou então, a primeira imagem poderia ser inclinada para baixo, e depois fazer uma volta, e a segunda imagem apareceria então. Seria um grande passeio! Vocês já viram os efeitos criados em vídeo, quando a imagem de um quadrado aparece e começa a ser sacudido? À medida que isto acontece, uma nova imagem vai tomando o lugar da anterior. Isto pode ser feito também. Agora, vocês estão começando a entender como as informações podem ser usadas para se construir um *swish* que seja particularmente forte para uma pessoa?

Homem: O problema do meu parceiro era causado pelo fato de ele perder o segundo plano daquilo que ele estava olhando. No início havia muita gente no segundo plano e quando ele chegava a um ponto crítico, todo o segundo plano havia desaparecido. Restavam apenas as pessoas.

Havia uma mudança qualquer de foco, ou de profundidade de campo?

Homem: Simplesmente desaparecia. Acredito que saísse de foco. Em todo caso, não se encontra mais no lugar que estava antes.

Mas o que continua em primeiro plano ainda é claro?

Homem: Como antes, não houve mudança nenhuma.

É como se alguém olhasse através de lentes? Quando se olha através de uma lente, parte da imagem ficará clara e a outra parte ficará turva. É isto que você quer dizer?

Homem: Não. É como se ele colocasse uma máscara em toda a imagem, exceto as pessoas, fazendo-a desaparecer.

E as pessoas estão em cima de quê?

Homem: Acho que as cadeiras e outros elementos onde as pessoas se encontram continuam no lugar, mas o resto desaparece. A concentração fica aparentemente com as pessoas.

Certo. Mas você não sabe *como* foi feito — usando um foco ou outra coisa?

Homem: Não sei.

Esta é a parte que você precisa descobrir. Você precisa saber como ocorre a transição, para que este método de transição possa ser usado com *qualquer* imagem.

Mulher: O meu parceiro tinham um diapositivo, sem movimento nem cor. Ao ver a imagem ele fala com a sua própria voz, num tom médio: "Hmmmm, nada mal", e o tom de voz fica subindo e descendo. E aí a voz muda, e o tom passa a ser monótono e baixo. Então ele começa a sentir-se mal.

A imagem fica constante? Ela não muda nem um pouco? Acho um pouco difícil acreditar que quando ele muda o ritmo o diapositivo continue constante. — que não há nada que mude, nem a luminosidade — porque nunca vi isto antes. Isto não quer dizer que seja impossível, mas acho pouco provável. A orientação pode ser auditiva, mas algo muda juntamente com a voz. Vamos partir do princípio de que ele fale consigo mesmo enquanto olha para a imagem e isto o leva de um estado para outro diferente, quando muda o seu tom de voz. Isto funciona. Será também necessário outro parâmetro auditivo se decidir fazer um *swish* auditivo. Talvez o ritmo mude. Em geral, existe mais de um parâmetro que muda.

Homem: Se estivermos procurando outra variável e conseguíssemos uma em outra submodalidade, de forma que tivéssemos uma submodalidade visual e uma auditiva, esta mistura funcionaria?

Pode até funcionar, mas, na maioria das vezes, nem será necessário. Isto pode ser feito se não conseguirmos encontrar uma segunda submodalidade no mesmo sistema. A razão por eu estar enfatizando o sistema visual é que este sistema tem a propriedade da *simultaneidade*. É possível ver duas imagens ao mesmo tempo. O sistema auditivo é mais seqüencial. É difícil prestar atenção a duas vozes simultaneamente. Pode-se fazer um *swish* auditivo, mas será feito de maneira ligeiramente diferente. Se vocês conseguem aprender a ser bem específicos no sistema visual, depois, quando começarem a lidar com o sistema auditivo, será bem mais fácil fazer a adaptação.

Homem: Estou perguntando isto porque, no caso da minha parceira, as imagens mudam, mas assim que ela entra dentro da imagem ela começa a se ouvir. Eu me pergunto se poderíamos acrescentar o elemento auditivo para segurar bem os elementos.

Sim. "Segurar os elementos" é uma boa maneira de se racionar. Se fizermos o *swish* usando apenas uma submodalidade é como se estivéssemos pregando dois elementos diferentes apenas num dos lados. Mas se segurarmos os elementos dos dois lados estamos bem mais seguros, com certeza. Se um dos lados se soltar, o outro ainda estará seguro. É por isto que é tão importante usar duas submodalidades fortes, simultaneamente, ao se fazer o *swish*. Em geral, as pessoas não variam mais de uma submodalidade de cada vez, por conta própria, e será necessário variar pelo menos duas para desfazer o *swish*.

Se fizermos um *swish* visual com componentes auditivos incluídos, de maneira geral a pessoa *demonstrará* as mudanças auditivas inconscientes ao falar sobre as duas imagens. Depois, quando você lhe disser para criar as imagens, poderá fazer as mudanças auditivas com a sua própria voz, sem mencioná-las. Para conseguir fazer bem isto, é preciso conseguir falar com a voz de outra pessoa.

A habilidade de imitação da voz de outra pessoa depende exclusivamente de prática e é um talento que vale a pena aprender nessa profissão. Após um certo tempo, percebemos que não é necessário imitar perfeitamente. É necessário apenas imitar as características distintivas. Será preciso imitar o suficiente para que, ao fazê-lo, não se dê conta se é *ele* quem está falando consigo mesmo, ou *você*. É o velho padrão de: "Bom, eu fui para dentro e disse para você..." Eu fazia muito isso antigamente nos seminários e poucas pessoas notavam.

Quero que todos voltem para os mesmos parceiros e descubram uma ou duas submodalidades análogas que eram mais importantes na criação da limitação. Alguns de vocês já possuem esta informação, mas a maioria não.

Agora, gostaria que voltassem à segunda imagem de como ele se veria caso não mais tivesse a limitação. Esta imagem deve ser dissociada, e a primeira imagem será sempre associada. Associação na primeira imagem e dissociação na segunda serão sempre elementos do *swish*.

Agora, quero que façam um *swish* usando as duas submodalidades análogas que identificam como sendo importantes (em vez do tamanho e luminosidade que usaram no primeiro). Em primeiro lugar façam com que o seu parceiro crie uma imagem associada das pistas, usando as submodalidades que suscitem uma reação forte (uma imagem grande, iluminada).
Depois, digam aos seus parceiros que criem uma imagem dissociada de si mesmos, como gostariam de ser, começando com o outro extremo daquelas mesmas submodalidades (uma imagem pequena e escura). Quando fizerem o *swish*, as submodalidades mudarão de forma a enfraquecer a reação à primeira imagem e ao mesmo tempo fortalecer a reação à segunda imagem. Façam isso em meia hora.

O que vocês acabaram de fazer é a base para usar o *swish* de maneira perfeita e com precisão. Pode-se sempre tentar o *swish* padrão.

E, se ele não funcionar, pode-se tentar um outro e continuar até que se encontre um que funcione. É melhor fazer assim do que não tentar mais nenhum. Mas é ainda melhor reunir bastante informação para saber exatamente o que estão fazendo, para poder saber com antecedência o que vai funcionar ou não. Alguma pergunta?

Homem: O que você faz com um cliente que não tem consciência dos seus processos internos? Quando pergunto aos meus clientes o que eles fazem internamente, eles levantam os ombros e dizem que não sabem.

Há várias coisas que podem ser feitas. Uma delas é continuar a perguntar até que eles comecem a prestar atenção. Outra seria fazer uma série de perguntas e ler as respostas "sim/não", não-verbais. Pergunte: "Você está falando consigo mesmo?" e preste atenção à resposta *imediatamente* anterior à verbal "Eu não sei". Esta técnica é analisada de maneira completa no livro *Atravessando*.

Outra coisa que pode ser feita é criar a situação problemática e observar o comportamento da pessoa. Todas as mudanças de submodalidades são demonstradas no comportamento externo. Por exemplo, quando alguém ilumina uma imagem a cabeça movimenta-se para diante e para trás, mas quando uma imagem é trazida mais para perto, a cabeça vai para trás. Se observarem com cuidado as pessoas enquanto elas fazem as modificações de submodalidades, vocês conseguirão calibrar-se com o que chamamos de "pistas de acesso de submodalidades". Então, poderão usar estas mudanças para determinar o que a pessoa está fazendo internamente, mesmo que ele não esteja consciente do que está acontecendo. Sempre uso este tipo de calibração para verificar se o cliente está fazendo aquilo que lhe pedi.

Como tudo em PNL, quanto mais sabemos como funciona a mudança e quanto mais estamos calibrados com as respostas comportamentais, mais poderemos agir de maneira dissimulada. Por exemplo, a pessoa tem de praticar o *swish* algumas vezes. Podemos pedir a ela que o faça uma vez e depois perguntar: "Você tem certeza de que fez da maneira certa?", e ela terá de repetir. Ela tembém o fará mais rápida e facilmente dessa maneira porque não estará tentando fazer conscientemente.

Mulher: Vocês têm estudos de seguimento de casos a longo prazo, para comprovar a eficiência deste método?

Não estou muito interessado em estudos de seguimento. A única razão para um seguimento a longo prazo é quando não se consegue verificar a mudança dentro do próprio consultório. Pense no seguinte: Se você produziu uma mudança em alguém e esta mudança dura há cinco anos, o que isto prova? Não diz nada sobre o valor ou não da mudança em si, ou se a evolução poderia ter sido diferente. Veja bem, fazer com que uma mulher deixe de ter uma compulsão em relação a chocolates, ou eliminar a fobia de tempestades de uma outra, não são coisas excepcionais, mesmo se duradouras. O que é importante compreender sobre o padrão *swish* é que ele coloca a pessoa numa direção que é produtiva e revolucionária. Nas vezes em que fiz seguimentos mais longos com as pessoas com quem fiz o *swish*, elas sempre dizem que a mudança realizada foi a base para todas as *outras* mudanças importantes para elas. O padrão *swish* não diz às pessoas como se comportar, ele as coloca no caminho em direção àquilo que elas desejam tornar-se. Para mim, a parte mais importante da mudança é o estabelecimento deste caminho.

CONCLUSÃO

Há um fator em especial que indica o que é a PNL. Não se trata de grupo de técnicas, e sim de uma atitude. É uma atitude que diz respeito à curiosidade, à vontade de querer conhecer coisas novas, e ser capaz de influenciar fatos, de uma forma útil. Qualquer coisa pode ser mudada. Isto foi o que Virgínia Satir disse na primeira vez que a vi num seminário, e é absolutamente verdadeiro. Todo médico sabe disso. Qualquer pessoa pode ser mudada com um .45 — chamamos a isso "terapia conjunta com o Sr. Smith e o Sr. Wesson". Agora, o mais interessante é saber se esta mudança é útil ou não.

A técnica que vocês aprenderam neste livro é muito poderosa. A questão sobre a maneira como irão utilizá-la e para quê, é muito importante — não como se fosse um fardo, mas com curiosidade, para descobrir o que *vale a pena ser feito*. As experiências da sua vida que foram benéficas a longo prazo, e que deram a base para que pudessem sentir prazer, satisfação, divertimento e felicidade, talvez não tenham necessariamente sido divertidas na hora em que aconteceram. Às vezes, algumas dessas experiências foram frustrantes ao extremo. Às vezes, confusas. Às vezes, engraçadas por si mesmas. Essas experiências não se excluem umas às outras. Lembrem-se disso quando criarem e fornecerem experiências para as pessoas.

Certa vez, tomei um avião para ir dar um seminário no Texas. Havia um homem sentado ao meu lado, lendo um livro chamado *Estrutura da Magia*. O título chamou a minha atenção. Eu perguntei a ele: "Você é mágico?"

"Não, sou psicólogo."

"E por que um psicólogo estaria lendo um livro sobre mágica?"

"Não se trata de um livro sobre mágica, é um livro sério sobre comunicação."

"E por que então é chamado de *A Estrutura da Magia?*"

Durante as três horas de vôo ele me explicou sobre o que tratava o livro. O que ele me contou não tinha nada a ver com o que eu pensava quando o escrevi. E ele nem chegou a ir muito longe, perdeu-se logo no capítulo dois. E, no entanto, ao me falar sobre o livro, eu lhe fiz perguntas do tipo "Como, especificamente?" e "O quê, especificamente?"

"Bem, se olharmos desse ponto de vista..."

"Se eu olhasse desse ponto de vista, o que estaria vendo?"

"Bem, você pega esta imagem e a outra também (ele não sabia que a maioria das pessoas não têm duas imagens ao mesmo tempo), e torna esta imagem menor e essa maior..."

Quando ele começou a descrever esses fatos, que eram muito evidentes para ele, eu fiquei pensando: "Nossa, que estranho. Pode haver uma nova gama de possibilidades no que ele está dizendo!".

Ele me contou que estava indo ao Texas para assistir a um seminário sobre PNL. Quando ele me viu entrar na sala do seminário, no dia seguinte, ficou satisfeito, pensando que eu tivesse aceito o seu conselho para participar... até que eu me dirigi à mesa principal e coloquei o microfone! O que talvez ele nunca venha a entender é que a única razão de eu não ter dito logo que fui eu quem escreveu este livro é que eu não queria deixar de aproveitar a oportunidade de aprender.

Sempre que vocês acharem que já compreenderam tudo, é hora de ir para dentro de si mesmos e dizerem: "É uma piada". Porque é nesses momentos de certeza que pode-se ter certeza de que ensinamentos fúteis foram adquiridos e o campo fértil não foi explorado. É claro que há muito mais coisas a aprendermos, e isto é o que é interessante sobre a PNL e o seu futuro.

Quando conhecemos algo de maneira tão profunda que podemos fazê-lo de maneira perfeita, ele torna-se uma tarefa. Pode-se fundar uma clínica e receber clientes e curar fobias durante todo o expediente. Não há nenhuma diferença entre isso e outra rotina qualquer. No entanto, é possível explorar novas maneiras de tornar o trabalho mais interessante e mais útil do que uma simples cura de fobia de elevador. Por que não fazer com que a pessoa fóbica comece a *gostar* de andar de elevador, ao invés de simplesmente curá-la? Há coisas que merecem ser fóbicas! Vocês têm hábitos de gastar dinheiro demais? — hábitos violentos? — hábitos alimentares indesejáveis? — de consumo? — E que tal uma fobia em relação a ficar parado e entediado? Isto poderá levá-los a novos horizontes.

166

Sempre que tenho que viajar para dar um seminário, chego na noite anterior. Durante uma recente viagem a Filadélfia, havia muitos programadores de neurolingüística de nível avançado no hotel e a maioria nunca tinha me visto antes. Quando eu desci para o bar, um deles disse para um amigo: "Espero que este não seja mais um daqueles seminários sobre submodalidades, porque eu já sei isso". É claro que não resisti e perguntei: "Que diabos é esse negócio de PNL?" — eu não perderia isto por nada neste mundo.

"Bem, é difícil explicar."

"Mas você faz PNL, não faz? Você faz bem? Você entende bem o assunto?"

"Claro que sim."

"Bom, eu não. Como você é um especialista, que tal me explicar um pouco sobre o assunto? Eu lhe pago mais um drinque e você me explica tudo a respeito desse negócio."

Nas suas fantasias mais alucinadas, ele não poderia imaginar o que iria sentir quando me visse entrar às 9h30 do outro dia para dar o curso. Ele tampouco tinha a menor idéia de que aprendi mais com ele no bar, do que ele comigo durante os três dias de seminário.

Gostaria que eles transformassem *tudo* em um seminário de introdução a algo de novo, no sentido que nunca se sabe tanto que se possa dar ao luxo de deixar o resto que há a aprender. Com freqüência, as pessoas esquecem como *não* saber algo. Dizem: "Ah, sim, isto parece com ..." "Isto é a mesma coisa que ..." "Já aprendi tudo sobre submodalidades no ano passado ..." Eu ainda não aprendi tudo, e já que eles já aprenderam tudo no ano passado,talvez pudessem explicar-me para que eu não tivesse que fazer tantos esforços para aprender!

Há uma grande diferença entre aprender algumas coisas e descobrir o que ainda existe que possa ser aprendido. Esta é a diferença que faz a diferença. Existem coisas que eu sei fazer que eles nem *desconfiam*. Mas o inverso também é verdadeiro. Já que todo mundo tem submodalidades, todo mundo faz coisas interessantes com elas. Talvez não saibam como o fazem de maneira consciente, mas ainda assim, sabem como fazê-lo e usam configurações que são específicas. Quando os seus clientes chegam e você pergunta: "De que maneira está arrasado?", eles vão responder à sua pergunta. Mas não se esqueçam de que eles estão tão "arrasados" que repetiram o problema sem cessar! É importante lembrar que se trata de um sucesso, não importa o quanto fútil, repulsivo ou fastidioso, isto possa parecer a você.

Esta habilidade em ficar fascinado pela complexidade desta forma de sucesso distingue a pessoa que trabalha de uma maneira *geradora* daquela que trabalha de uma maneira *remediadora*. Sem essa curisosidade, as coisas que são fúteis, repulsivas e fastidiosas não conseguirão ser influenciadas por você. Sem essa influência, as pessoas continuarão a fazer guerras em lugares distantes e a respeito de coisas insignificantes, sem conseguir achar novas maneiras de se chegar a um consenso. A essência de se gerar novas mudanças é poder criar um mundo no qual todos sejam ganhadores porque haverá maneiras de se criar *mais*, ao invés de um pouco que todos lutarão para conseguir.

Tudo o que faz um ser humano é uma conquista, dependendo apenas de onde, quando e para quê é utilizado. Cada um de nós pode fazer algo a respeito, porque estaremos dirigindo o nosso próprio ônibus. Agora que vocês já sabem *como*, a questão é saber *onde*? Quando não se está ao volante, não importa aonde se deseje ir, não sairemos do mesmo lugar. Quando aprendemos a usar o nosso próprio cérebro, este ponto torna-se crucialmente importante. Algumas pessoas ficam dando voltas. Outras fazem o mesmo caminho, sem cessar. Outras ainda fazem o mesmo caminho, mas levam um mês para chegarem aonde desejam, em vez de apenas um dia.

Há *muito* mais coisas dentro da nossa mente, do que podemos sequer suspeitar. Há *tantas* coisas fora das nossas mentes, muito mais do que podemos sequer nos interessar. E é apenas este senso cada vez maior de curiosidade que faz com que mesmo a tarefa menos interessante torne-se algo que valha a pena ser tentado, interessante e intrigante. Sem isso, a vida nada mais é do que ficar na fila. Ou bem treinamos ficar marcando o ritmo com os pés, enquanto esperamos na fila, ou bem fazemos alguma coisa diferente. E eu tenho uma surpresa para vocês. Descobri que a vida após a morte começa com uma longa fila. E é melhor começar a se divertir agora, porque aqueles que se divertem e fazem coisas que valem a pena serem feitas com um grande senso de curiosidade, ficarão menos tempo na fila do que aqueles que simplesmente aprenderam a esperar.

Não importa onde vocês estejam ou o que estejam fazendo, as habilidades, as técnicas e as ferramentas que adquiriram agora servirão como base para se divertirem e para aprenderem algo novo. O homem que viajou ao meu lado para o Texas e me explicou o que era a PNL é diferente de mim sob apenas um aspecto. No dia seguinte quando ele me viu e pensou: "Ai, meu Deus!", não se deu conta de que eu aprendi algo com ele. Esta é a única diferença entre mim e ele. Eu não o fiz de bobo. Eu fiz aquilo para poder aprender, porque estava curioso. *Era uma oportunidade rara e sem precedentes. Aliás, como todas as outras experiências da vida.*

168

Apêndice I

DISTINÇÕES DAS SUBMODALIDADES

A lista que estamos fornecendo não é exaustiva, e a ordem em que aparecem as submodalidades é totalmente irrelevante. Que diferenças *você* faz, internamente, que poderiam ser acrescentadas a esta lista?

Visual

Luminosidade
Tamanho
Cor/Branco e preto
Saturação (vívido)
Matiz ou equilíbrio das cores
Forma
Localização
Distância
Contraste
Claridade
Foco
Duração
Movimento (diapositivo/filme)
Velocidade
Direção
3 dimensões/1 dimensão
Horizontal ou vertical
Cintilante

Perspectiva (ponto de vista)
Associado/Dissociado
1° Plano/2° Plano
Pessoa/Contexto
Freqüência ou número (tela partida ou imagens múltiplas)
Moldura/panorama (ângulo da lente)
Aspecto (largura e altura)
Orientação (inclinação, rotação etc.)
Densidade ("granulosidade")
Transparente/opaco
Densidade da luminosidade
Simetria
Digital (impressão)
Aumento
Textura

Auditivo

Intensidade do som	Distância
Tempo (velocidade)	Contraste
Volume	Imagem/base
Ritmo	Claridade
Contínuo ou interrompido	Número
Timbre ou tonalidade	Simetria
Digital (palavras)	Ressonância dentro do contexto
Duração	Fonte externa ou interna
Localização	Mono/estéreo

Cinestésico

Pressão	Número
Localização	Movimento
Extensão	Duração
Textura	Intensidade
Temperatura	Forma
	Freqüência (ritmo)

Uma maneira útil de subdividir as sensações cinestésicas é a seguinte:

1) *Tátil*: as sensações da pele.

2) *Proprioceptiva*: as sensações musculares e outras sensações internas.

3) *Meta-sensações avaliativas* SOBRE outras percepções ou representações, também chamadas emoções, sensações ou cinestésicos viscerais, geralmente representadas no estômago ou na altura do peito, ou no meio do torso. Essas sensações não são propriamente sensações/percepções, mas sim representações *derivadas de* outras sensações/percepções.

Olfativa e Gustativa (cheiro e paladar)

Os termos usados pelos especialistas do campo da psicofísica (doce, ácido, amargo, salgado, queimado, aromático etc.) não serão, provavelmente, úteis. O aparecimento ou desaparecimento (mudanças de intensidade e/ou de duração) de um gosto ou cheiro específico que seja identificado como importante na experiência de outra pessoa pode ser bastante útil. Os odores e gostos são âncoras de estado poderosas.

Apêndice II

VÍDEOS DAS SESSÕES DE RICHARD BANDLER

Richard Bandler demonstra as aplicações clínicas dos métodos de PNL descritos neste livro em vídeo de alta qualidade em três partes de meia hora cada. (As transcrições desses vídeos aparecem no livro *Magic in Action*).

1. "Perda por Antecipação". Uma mulher que tinha ataques de pânico paralisadores sempre que alguém próximo a ela sentimentalmente chegava atrasado a um encontro. Ela está curada.

2. "Figuras de Autoridade". Um rapaz consegue eliminar o seu medo de figuras de autoridade.

3. "Agorafobia". Um caminhoneiro de meia idade é curado da sua incapacidade de sair dos limites da cidade em que morava, que durava já seis anos.

Todas as fitas incluem uma sessão de acompanhamento do tratamento, demonstrando o sucesso da cura. Cada uma delas inclui a sessão inteira com os clientes, sem retoques técnicos, e nenhum deles conhecia Richard Bandler. Para maiores informações e aquisição escreva para:

Dra. Virgínia Plumley
Marshall University
Huntington, WV 25701
(304) 523 0080

Apêndice III

VÍDEOS SOBRE OS SEMINÁRIOS DE HIPNOSE DE RICHARD BANDLER

Três vídeos de 45 minutos cada, feitos a partir de um seminário realizado durante um fim-de-semana na Flórida.

1) *Indução*. Diferentes métodos de indução são descritos e demonstrados, incluindo a dissociação, levitação de braço, auto-hipnose e os estados de transe naturais.

2) *Utilização*. Estados internos e submodalidades são usados para modificar lembranças desagradáveis e para curar fobias.

3) *Metáforas de Mudança*. Richard demonstra o uso de metáforas de conversação para mudar crenças limitadoras e criação de mudança pessoal.

Para maiores informações e aquisição escreva para:

Hypnosis Vo-Cal Production
P.O. Box:533
Indian Rocks Beach, FL 33535
(813) 442-2855

Apêndice IV

VÍDEOS DE TREINAMENTO EM PNL

Esses vídeos de sessões de treinamento em PNL realizados com grupos e/ou trabalhos individuais com PNL foram produzidos por Connirae e Steve Andreas. O sistema utilizado foi o VHS, editados de maneira altamente profissional e duplicados para obtenção de alta qualidade.

1. *A Cura Rápida de Fobia e de Trauma.* Uma fobia intensa de abelhas, durando há mais de 20 anos, é curada em seis minutos, com a cura rápida de fobia e trauma, desenvolvida por Richard Bandler. Uma introdução e discussão acompanham o vídeo, e incluem uma entrevista de acompanhamento, onze meses depois. Também está incluída uma entrevista com um veterano da guerra do Vietnã, cuja fobia de 12 anos foi curada em uma sessão, com este método. 42 minutos.

2. *Mudança de Convicção.* O padrão de mudança de convicções desenvolvido por Richard Bandler é demonstrado no Treinamento Avançado de Submodalidade, de PNL. Uma explicação do que está sendo feito acompanha a demonstração, seguindo-se discussões, perguntas e explicações de um exercício prático do uso do padrão. Uma entrevista de acompanhamento, realizada três meses depois, também está incluída. 104 minutos.

3. *Ponte-para-o-futuro: Programe-se a si mesmo para lembrar-se de algo.* Como as pessoas programam-se a si mesmas para lembrarem-se de algo de maneira automática é analisada nesta sessão realizada a partir do segundo dia do Treinamento de PNL, de 24 dias de duração, de janeiro de 1985. 79 minutos.

Outras fitas estão em preparação. Escrevam para receberem a lista atualizada.

NLP of Colorado
1221 Left Hand Canyon Dr., JSR
Boulder, CO 80302
(303) 442-1102

Apêndice V

CONSULTORES EDUCACIONAIS DE PNL

A *New Learnings Pathways* garante adiantar a criança em pelo menos um ano em análise estrutural e fonética e compreensão de texto, segundo os padrões dos dois testes seguintes, considerados padrões: 1) O *Woodcock Reading Mastery Standardized Test*, e 2) O *Ekwall informal reading inventory for long passage comprehension*. Em geral, o progresso realizado é de dois a três anos comparando-se com o nível da criança antes e depois do programa, que tem duração de oito horas cada sessão (com deveres a serem feitos em casa), num período de sete semanas. O único pré-requisito é que a criança enxergue o que está tentanto ler. Esse grupo de consultoria também organiza seminários para professores e consultores da área de educação. Favor escrever ou telefonar para maiores informações.

New Learning Pathways
6000 E. Evans, Building 2, nº 250
Denver, Colorado 80222
(303) 758-6361

Apêndice VI

$$\frac{y_1 - y_2}{x_1 - x_2} = \frac{-(y_1 - y_2)}{-(x_1 - x_2)} \qquad \sqrt[n]{a^n b^{n+1} c^{n-1}}, \, n \in \{3, 5, 7, \ldots\}$$

$$\frac{5^4 - 2^4}{5^2 + 2^2}$$

$$xyz + x^2 y z^3 + x^3 y^2 z + (^-1) x y^3 z^2$$
$$2^3 \cdot x^2 y + 2^5 \cdot x^2 y + 2^3 \cdot x^2 y + 2^5 \cdot x y^2$$
$$3^2 \cdot a b^2 + 3 a^2 b + 3^3 \cdot a^2 b^2 + 3^4 \cdot a^2 b^2$$

$$(\forall_z)(\exists!_y)(x + y = 0)$$

$$\frac{(2ab)^2 (3ab)}{(-6a^3 b)^2}$$

$$\begin{array}{r} 8hn^3 \qquad + 2n^4 \\ 3hn^3 + hn + n^4 \\ \hline \end{array}$$

$$(3x^2 y)(5x^4 y^3) = 15x^6 y^4$$

$$\frac{5 - 11y + 2y^2}{4y^2 - 9} \cdot \frac{2y + 3}{1 - 2y} \cdot \frac{(5 - y)^{-1}}{2y - 1}$$

$$\frac{(2y^2)^3 (2y)}{(2y)^3 (2y)^2} \qquad V = \tfrac{4}{3}\pi r^3$$

$$\frac{14x^3 - 21x^2 - 14x}{4x - 16x^3}$$

$$\left(\frac{x^4 - 13x^2 + 36}{2x^2 - 18} \div \frac{x^3 - 2x}{x - 5} \right) \cdot \frac{2}{x - 5}$$

$$\left(\frac{3b - 1}{b - 3} \right)^{-1} \cdot \frac{1 + 3b - 18b^2}{6b^2 - 17b - 3} \qquad I = \frac{nE}{R + nr}$$

Apêndice VII

A PROGRAMAÇÃO NEUROLINGÜÍSTICA NO BRASIL

A Sociedade Brasileira de Programação Neurolingüística fundada em 1981 é oficialmente associada à *American Society of Neurolinguistic Programming*, o que significa receber o aval de qualidade de seus criadores. A sociedade mantém intercâmbio de tecnologia com o *Dynamic Learning Center* (Robert Dilts e Todd Epsteim), *Grinder DeLozier & Associates* (John Grinder) e *NLP Comprehensive* (Steve e Connirae Andreas).

A S.B.P.N.L. ministra cursos que vão desde a introdução, passando por cursos como o de Hipnose e o de Crença, Saúde & Longevidade até o aperfeiçoamento avançado como o Practitioner e o Master Practitioner.

Os cursos são ministrados por Gilberto C. Cury, Rebeca L. Frenk (Biby) e Allan F. Santos Jr. Todos treinados pessoalmente por Richard Bandler, John Grinder e Robert Dilts.

Também participam assistentes treinados pela Sociedade Brasileira de Programação Neurolingüística.

Escrever para a Sociedade Brasileira de Programação Neurolingüística é a maneira de garantir a qualidade de treinamento recebido, além do endosso de Richard Bandler e John Grinder.

Sociedade Brasileira de Programação Neurolingüística
Rua Paes de Araújo 29 conjunto 145/146
04531 São Paulo, SP
fone (011) 829-3260

Bibliografia

Bandler, Richard. *Magic in Action*. 1985.

Bandler, Richard e Grinder John. *Sapos em Príncipes*. Programação Neurolingüística. São Paulo, Summus Editorial, 1982.

Bandler, Richard e Grinder John. *Resignificando*. Programação Neurolingüística e a Transformação do Significado. São Paulo, Summus Editorial, 1986.

Grinder, John e Bandler Richard. *Atravessando*. Passagens em Psicoterapia. São Paulo, Summus Editorial, 1984.

NOVAS BUSCAS EM PSICOTERAPIA
VOLUMES PUBLICADOS

1. *Tornar-se presente — Experimentos de crescimento em Gestalt-terapia* — John O. Stevens.
2. *Gestalt-terapia explicada* — Frederick S. Perls.
3. *Isto é Gestalt* — John O. Stevens (org.).
4. *O corpo em terapia — a abordagem bioenergética* — Alexander Lowen.
5. *Consciência pelo movimento* — Moshe Feldenkrais.
6. *Não apresse o rio (Ele corre sozinho)* — Barry Stevens.
7. *Escarafunchando Fritz — dentro e fora da lata de lixo* — Frederick S. Perls.
8. *Caso Nora — consciência corporal como fator terapêutico* — Moshe Feldenkrais.
9. *Na noite passada eu sonhei...* — Medard Boss.
10. *Expansão e recolhimento — a essência do t'ai chi* — Al Chung-liang Huang.
11. *O corpo traído* — Alexander Lowen.
12. *Descobrindo crianças — a abordagem gestáltica com crianças e adolescentes* — Violet Oaklander.
13. *O labirinto humano — causas do bloqueio da energia sexual* — Elsworth F. Baker.
14. *O psicodrama — aplicações da técnica psicodramática* — Dalmiro M. Bustos e colaboradores.
15. *Bioenergética* — Alexander Lowen.
16. *Os sonhos e o desenvolvimento da personalidade* — Ernest Lawrence Rossi.
17. *Sapos em príncipes — programação neurolingüística* — Richard Bandler e John Grinder.
18. *As psicoterapias hoje — algumas abordagens* — Ieda Porchat (org.)
19. *O corpo em depressão — as bases biológicas da fé e da realidade* — Alexander Lowen.
20. *Fundamentos do psicodrama* — J. L. Moreno.
21. *Atravessando — passagens em psicoterapia* — Richard Bandler e John Grinder.
22. *Gestalt e grupos — uma perspectiva sistêmica* — Therese A. Tellegen.
23. *A formação profissional do psicoterapeuta* — Elenir Rosa Golin Cardoso.
24. *Gestalt-terapia: refazendo um caminho* — Jorge Ponciano Ribeiro.
25. *Jung* — Elie J. Humbert.
26. *Ser terapeuta — depoimentos* — Ieda Porchat e Paulo Barros (orgs.)
27. *Resignificando — programação neurolingüística e a transformação do significado* — Richard Bandler e John Grinder.

28. *Ida Rolf fala sobre Rolfing e a realidade física* — Rosemary Feitis (org.)
29. *Terapia familiar breve* — Steve de Shazer.
30. *Corpo virtual — reflexões sobre a clínica psicoterápica* — Carlos R. Briganti.
31. *Terapia familiar e de casal* — Vera L. Lamanno Calil.
32. *Usando sua mente — as coisas que você não sabe que não sabe* — Richard Bandler.
33. *Wilhelm Reich e a orgonomia* — Ola Raknes.
34. *Tocar — o significado humano da pele* — Ashley Montagu.
35. *Vida e movimento* — Moshe Feldenkrais.
36. *O corpo revela — um guia para a leitura corporal* — Ron Kurtz e Hector Prestera.
37. *Corpo sofrido e mal-amado — as experiências da mulher com o próprio corpo* — Lucy Penna.
38. *Sol da Terra — o uso do barro em psicoterapia* — Álvaro de Pinheiro Gouvêa.
39. *O corpo onírico — o papel do corpo no revelar do si-mesmo* — Arnold Mindell.
40. *A terapia mais breve possível — avanços em práticas psicanalíticas* — Sophia Rozzanna Caracushansky.
41. *Trabalhando com o corpo onírico* — Arnold Mindell.
42. *Terapia de vida passada* — Livio Tulio Pincherle (org.).
43. *O caminho do rio — a ciência do processo do corpo onírico* — Arnold Mindell.
44. *Terapia não-convencional — as técnicas psiquiátricas de Milton H. Erickson* — Jay Haley.
45. *O fio das palavras — um estudo de psicoterapia existencial* — Luiz A.G. Cancello.
46. *O corpo onírico nos relacionamentos* — Arnold Mindell.
47. *Padrões de distresse — agressões emocionais e forma humana* — Stanley Keleman.
48. *Imagens do self — o processo terapêutico na caixa-de-areia* — Estelle L. Weinrib.
49. *Um e um são três — o casal se auto-revela* — Philippe Caillé
50. *Narciso, a bruxa, o terapeuta elefante e outras histórias psi* — Paulo Barros
51. *O dilema da psicologia — o olhar de um psicólogo sobre sua complicada profissão* — Lawrence LeShan
52. *Trabalho corporal intuitivo — uma abordagem Reichiana* — Loil Neidhoefer
53. *Cem anos de psicoterapia... — e o mundo está cada vez pior* — James Hillman e Michael Ventura.
54. *Saúde e plenitude: um caminho para o ser* — Roberto Crema.
55. *Arteterapia para famílias — abordagens integrativas* — Shirley Riley e Cathy A. Malchiodi.
56. *Luto — estudos sobre a perda na vida adulta* — Colin Murray Parkes.
57. *O despertar do tigre — curando o trauma* — Peter A. Levine com Ann Frederick.
58. *Dor — um estudo multidisciplinar* — Maria Margarida M. J. de Carvalho (org.).
59. *Terapia familiar em transformação* — Mony Elkaïm (org.).
60. *Luto materno e psicoterapia breve* — Neli Klix Freitas.
61. *A busca da elegância em psicoterapia — uma abordagem gestáltica com casais, famílias e sistemas íntimos* — Joseph C. Zinker.
62. *Percursos em arteterapia — arteterapia gestáltica, arte em psicoterapia, supervisão em arteterapia* — Selma Ciornai (org.)
63. *Percursos em arteterapia — ateliê terapêutico, arteterapia no trabalho comunitário, trabalho plástico e linguagem expressiva, arteterapia e história da arte* — Selma Ciornai (org.)
64. *Percursos em arteterapia — arteterapia e educação, arteterapia e saúde* — Selma Ciornai (org.)